Wie es früher war

Anzeigenblatt-Leser erzählen

Band 2

Wie es früher war

Anzeigenblatt-Leser erzählen

Band 2

Verlag Horst Bröstler GmbH
Marktheidenfeld
2009

Vorwort

Schon seit 1999 veröffentlichen wir im Anzeigenblatt Geschichten unter dem Titel: „Wie es früher war – Unsere Leser erzählen." Die Format-Bezeichnung sagt es bereits aus, dass wir unter der Rubrik alle möglichen Beiträge abdrucken, die uns zugeschickt werden und geeignet sind, die Ansprüche zu erfüllen, die wir naturgemäß auch an die „Schriftsteller" unter den Anzeigenblatt-Lesern stellen müssen.

Wichtig ist uns dabei die Authentizität des Aufsatzes, was soviel bedeutet, dass die Geschichte glaubhaft und echt wirken muss. Zwar können wir in der Regel nicht wissen, ob der Einsender eine gut erfundene Geschichte vorlegt oder die beschriebenen Ereignisse wirklich erlebt hat, aber ein gewisses Gefühl dafür, was den Verfasser glaubwürdig erscheinen lässt, bildet sich doch im Laufe der Jahre heraus. Ein weiteres Kriterium ist die Originalität der Erzählung. Hier geht es nicht darum, eine möglichst großartige Begebenheit zu beschreiben, an der man beteiligt war, sondern eine Geschichte abzuliefern, die so nicht jedem von uns passiert ist, aber doch im typischen Bereich des Allzumenschlichen liegt. Häufig bezieht sich der Begriff der „Originalität" auf einen bestimmten Menschen, der vielleicht längst verstorben, aber den Älteren unter uns noch gut in Erinnerung ist. Zu jeder Geschichte gehört auch eine Portion Humor. Vielleicht treffen wir hier nicht die Erwartungen aller Leser, aber wir meinen, dass rabenschwarze Schilderungen schrecklicher Ereignisse zwar authentisch und originell sein können, aber für die Leserschaft im allgemeinen keineswegs unterhaltsam sind. Derartige Beiträge finden sich in den aktuellen Zeitschriften und Zeitungen zur Genüge, wir wollen lieber jenseits des Tagesgeschehens den Leser mit Anekdoten erfreuen, die keinen allzu schlechten Beigeschmack hinterlassen. Dass die Welt leider nicht immer gut ist und das Leben auch schwer und sogar gefährlich sein kann, weiß jeder, darauf muss man nicht auch noch im „Anzeigenblatt" gestoßen werden.

Bereits vor einigen Jahren haben wir den ersten Band mit Geschichten „Wie es früher war" vorgelegt und wir mussten unlängst feststellen, dass dieses Buch schon vergriffen ist. Die Nachfrage ist also durchaus vorhanden und den vielen Bitten der Leser kommen wir jetzt nach, indem wir Band 2 der möglicherweise auch in Zukunft noch fortzusetzenden Reihe veröffentlichen. Wir hoffen, dass Sie viel Freude beim Lesen haben und vielleicht sogar dazu angeregt werden, einmal selbst darüber zu berichten, wie es früher war. Ihre Geschichte drucken wir gerne ab im „Anzeigenblatt".

Marktheidenfeld, im Herbst 2009 — Horst Bröstler

Wie und warum ich das Schwimmen erlernte

von Dieter Möller aus Gemünden

1965 wohnte ich in der Lohrer Sudetenstraße. Ich war 19 Jahre alt und verliebt in ein schönes Mädchen aus Partenstein. Es ergab sich, dass wir uns für den nächsten Sonntag im Lohrer Schwimmbad verabredeten. Christine, so hieß mein Mädchen, wollte es so.

Ansichtskarte von Lohr a. Main

Welch ein Malheur, denn ich konnte nicht schwimmen! Aber ich hatte ja noch 3 Tage Zeit bis zum Rendezvous. Meine Emotionen lassen sich nicht leicht beschreiben. Feige war ich nicht, als Fußballer auch nicht unsportlich, aber eben leider kein richtiger Mann - als Nichtschwimmer! Nachts hatte ich dann nach stundenlangem Grü-

beln die Lösung gefunden, die ich sofort am nächsten Tag realisieren wollte.
Mein Vater saß, wie oft im Sommer nach Feierabend, am Main und angelte auf Aale. Ich besuchte ihn dort auf der Sendelbacher Seite gegenüber der Firma Hunger KG. Als ich ihm eröffnete, dass ich jetzt sofort im Main das Schwimmen erlernen würde, wurde er vor Schreck schneeweiß im Gesicht. Er entgegnete mit heiserer Stimme, dass er selbst nicht schwimmen könne und kaum in der Lage sei, mich zu retten.
Unbeeindruckt dessen stürzte ich mich in die Fluten und paddelte wie ein Hund mit den Händen. 10 Meter stromabwärts erreichte ich nach wenigen Sekunden das Ufer wieder, den Mund voller Mainwasser, aber überglücklich, dass ich nicht ersoffen war.
Mein Vater war mit der längsten Angelrute gelaufen gekommen, um zu helfen, was aber zu unserem größten Erstaunen nicht nötig war. Beim vielleicht 10. Versuch staunte nicht nur mein Vater, sondern auch ich, dass schwimmen doch gar nicht so schwer ist. Nach 3 Stunden hatte ich das Gefühl, als wären meine Arme drei Meter lang geworden. Aber ich war überglücklich und stolz, dass ich mir selbst einige Züge schwimmen beigebracht hatte.
Ich konnte mich also mit Stolz geschwellter Brust am Sonntag mit meinem schönen Mädchen im Schwimmbad treffen. Als es dann soweit war, stand die liebe Christine vor der Eingangstür des Lohrer Bades und eröffnete mir, dass sie leider nicht gut schwimmen könne. So gingen wir eben ein Eis essen.
Heute ist das Partensteiner Mädchen seit vielen Jahren meine liebe Ehefrau und geht mit mir sogar im Mittelmeer schwimmen.

In Großmutters Stube - glücklich und geborgen

von Carin Freund aus Stadtprozelten

Sonnenstrahlen leuchten durch das Fenster auf ihr silbernes Haar. Es ist zu einem Knoten gebunden und von einem hauchdünnen Netz und vielen kleinen Nadeln gehalten.

»Die erste Strickstunde« - Wohlfahrtskarte

Sie sitzt in ihrem abgewetzten Armlehnstuhl und genießt die Ruhe in ihrer warmen Stube. Ihr Gesicht ist voll tiefer Falten, ihre Hände gezeichnet von schwerer Arbeit. Am Fenster sitzend, mit einem

sanften zufriedenen Lächeln im Gesicht, scheint sie sich über alles zu freuen. Im Sommer lacht sie über die bunten Schmetterlinge, die sich auf ihren Gartenblumen niederlassen und im Winter über die Eisblumen am Fenster, die durch das einfallende Sonnenlicht leuchten als wären sie aus Silber.
Das war Großmutter, geboren am 19.4.1884.
Mit ihren bunt-geblümten Küchenschürzen, den selbstgestrickten Söckchen und handgearbeiteten Filzpantoffeln, so kannten und liebten wir sie.
Wir verbrachten die Nachmittage gerne bei ihr. Ihre Geduld war grenzenlos und aber auch gar nichts konnte sie aus der Ruhe bringen. Sie hörte aufmerksam zu, wenn wir ihr von unseren Problemen in der Schule oder Streit mit unseren Freunden erzählten. Großmutter hatte für alles Verständnis. Mutter war somit, wenn auch nicht immer, entlastet und sie schenkte uns die Ruhe die wir brauchten, um unsere Hausaufgaben zu machen.
Der Ofen wurde geschürt, damit die Stube schön warm war und das Wasserschiffchen mit frischem Wasser gefüllt. Plätzchen oder Süßigkeiten wurden uns hingestellt, und die Tasse warme Milch half uns, die Hausaufgaben leichter zu meistern. Wir bemühten uns natürlich besonders und Großmutters Lächeln und ihre Worte: „Schön, schön!" waren Belohnung genug und Ansporn, uns besonders anzustrengen.
Großmutter versuchte immer wieder, uns mit Kleinigkeiten eine große Freude zu bereiten. Sie sang für uns, erzählte uns Märchen oder Geschichten, die sie zum Teil selbst erfand. Stundenlang konnten wir uns ihre Gedichte und Anekdoten aus ihrer Kindheit anhören. Meist gab es bei den Besuchen auch ein paar Groschen, die wir aber nicht einfach so in die Hand gedrückt bekamen. So zum Beispiel hing im Schlafzimmer ein kleiner Altar mit Maria und Je-

sukind. So oft ich konnte, pflückte ich Wiesenblumen, band ein Sträußchen und stellte es darauf. Großmutter freute sich immer sehr, und eines Tages meinte sie, ich sollte den Altar einmal genauer betrachten. Maria würde sich über die Blumen so freuen, dass sie etwas hingelegt hätte. Voll Freude entdeckte ich ein paar Groschen, mit denen ich mir im Krämerlädchen etwas Süßes kaufen konnte.

Meine Schwester erinnert sich, dass sie immer in Großmutters Stube schlich und sich unter der alten Tretnähmaschine versteckte. Großmutter tat so, als ob sie es nicht bemerkt hätte, ging ans Radio und drehte an dem Rädchen. Meine Schwester begann zu singen und Großmutter schwärmte, was denn wieder für schöne Musik im Radio zu hören wäre.

In Omas Stube

Sie legte ein paar Groschen auf die Nähmaschine und tat kurze Zeit später wieder so, als ob sie das Radio wieder ausschalten würde. Meine Schwester sprang hervor und bedankte sich für das Geld.

Als wir älter wurden, wollte Großmutter alles über neu erfundene Dinge wissen, die sie nicht kannte.

Urkomisch fand sie diese gerade auf den Markt gekommenen Nylonstrumpfhosen. Unter viel Gelächter mussten wir ihr erklären, wie man diese anzog, aber Großmutter fand selbstgestrickte Strümpfe viel praktischer.
Herzhaft lachen konnte sie über den ersten Minirock und fand, dass man für so wenig Stoff viel zu viel bezahlen musste. Diese zwei kleinen Stoffteile, »Bikini« genannt, fand sie völlig überflüssig und unpraktisch, weil man schließlich auch im langen Hemd baden gehen könnte. Lachend und kopfschüttelnd beobachtete sie, wie wir diese rote Sauce, genannt »Ketchup«, über unser Essen schütteten. Sie fand sie ziemlich eklig, diese neue Kost.
Alles, was sie dann zu sagen hatte war: „Na ja!", was für uns dann bedeutete, dass sie es zwar akzeptierte, aber eigentlich für überflüssig befand.
Als Großmutter im 89. Lebensjahr verstarb, waren wir sehr traurig. Sie fehlte uns allen so sehr und als wir uns von ihr am offenen Sarg noch einmal verabschieden durften, schien es uns, als ob sie uns sogar noch im Tod ein zufriedenes, sanftes Lächeln schenkte.

1947 - eine Jahrhundertdürre

von Relindis Kilian aus Thüngersheim

Heiß war es und trocken, das Jahr 1947. Vom zeitigen Frühjahr bis Mitte Oktober regnete es kaum. Selten trübte eine Wolke den blauen Himmel. Das Thermometer pendelte sich bei 30° C ein. Manchmal auch darüber.

„Die Kartoffelleser", Ölgemälde von Julio Souza-Pinto

Im September maß man gar noch 34.5° C. Ozonwarnungen wurden nicht ausgegeben, das kannte man damals noch gar nicht. Dass es fast das ganze Jahr nicht regnete, dafür waren nur der Krieg und die Bomber verantwortlich, so vermuteten besonders die älteren Leute.

Sie hätten die Wolken verjagt. Dementsprechend fiel die ganze Ernte aus. Die Trockenheit machte alles zunichte. Glücklich konnte der sich schätzen, der einen Maingarten besaß. Der Main war die einzige Wasserquelle und die wurde ausgenutzt. Das Getreide stand auf kurzem Halm. Dadurch gab es wenig Stroh. Als Ersatz musste das Laub aus den Wäldern herhalten. Zeitig in der Früh, um der Hitze aus dem Weg zu gehen, machten sich die Bauern an die Arbeit. Auch meinem Vater blieb nichts anderes übrig. Mit einem Kuhgespann und einem großen Leiterwagen brauchten wir eine Stunde, um zu unserem Wald zu gelangen. Für uns Kinder war das ein Abenteuer, ein Ereignis. Während die Erwachsenen das Laub in den Wagen schichteten, hüteten wir das Vieh. Meinen zwei Brüdern und mir fiel die Aufgabe zu, die Bremsen zu verjagen, die sich in großer Zahl auf die Tiere stürzten. Wie der Wald nach der Laubarbeit aussah, ist kaum zu beschreiben. Er war ausgekehrt, nackt und seelenlos. Lebensraum für das Kleingetier gab es nicht mehr.
Wir ernteten nur wenig Kartoffeln. Auf den Sandböden gab es nur welke Knollen. Von einem Acker am Asig versprachen sich die Eltern mehr. Eine 3/4 Stunde Fußmarsch im Morgengrauen hatte Vater hinter sich, als er ans Grundstück kam. Und just in dem Augenblick verließ ein Bürger fluchtartig den Acker, einen Handwagen mit 3 Sack Kartoffeln beladen, hinter sich herziehend. Mein Vater stellte den Mann nicht einmal zur Rede, denn er wusste, dass dieser sieben hungrige Mäuler zu stopfen hatte. Uns fehlten natürlich die Kartoffeln, wir hätten sie so dringend benötigt. Denn unsere Hauptnahrung war eben diese Frucht. Unser Abendessen bestand zu dieser Zeit aus Kartoffeln mit Salz. Fast die ganze Obst- und Gemüseernte fiel der Trockenheit zum Opfer. Gott sei Dank war im Umkreis von 20 - 30 Kilometern die Ernte nicht ganz so schlecht. Der Tauschhandel blühte. Wein und Schnaps gab es für Mehl und

Gemüse. Handwagen und Fahrräder waren die Transportmittel. Holprige und schlecht ausgebaute Wege verhinderten ein schnelles Vorankommen. Meistens wurde es Abend, bis die Männer nach Hause kamen. Solange die Hitze und Trockenheit anhielt, wurde Sonntag für Sonntag am Abend um gedeihlichen Regen in der Kirche gebetet. Gerne ging ich mit der Familie dahin. Aber nicht unbedingt wegen der Andacht, sondern wegen dem Bohnenkaffee. Ja, Sie lesen richtig, Bohnenkaffee tranken wir nämlich nicht zum Frühstück, auch nicht nachmittags, nein sonntags nach der Abendandacht. Und das war immer der Höhepunkt der Woche. So einen guten Kaffee habe ich bis zum heutigen Tag nicht mehr getrunken.
Er kam ja von einer Tante aus Amerika. In den Lebensmittelpaketen, die sie uns öfter schickte, fehlte er nie. Große Augen machten wir Kinder, als wir die ersten Bonbons lutschten. Diese Pakete linderten oft die größte Not. Manch einer, da spreche ich für unser Land, wäre 1947 ohne diese Care Pakete, die ja die amerikanische Bevölkerung spendete, verhungert. Für mich war dieses Jahr das entbehrungsreichste in meinem Leben.

Herrlich sind die Jugendstreiche...!

von Günther Kapahnke aus Ansbach

Wie war es doch gleich mit der zerbrochenen Fensterscheibe in der Tirpitzstraße in meiner Heimatstadt Danzig. Es geschah an einem Freitagnachmittag in der Küche beim Basteln. Mein Werkplatz war die Tischfläche der eingebauten Küche unter dem Fenster. Ich war alleine zu Hause, und als es langsam zu dunkeln anfing, wollte ich das Licht einschalten.

Ansichtskarte von Danzig

Aber es war ja Krieg, und da mussten vorher immer erst die Fenster verdunkelt werden.

Wir hatten Klappläden, unsere Wohnung lag im Erdgeschoss. Ich kletterte auf den Tisch, wollte das Fenster öffnen, und schon war es geschehen. Ich hatte die Kaffeekanne in der Fensterecke übersehen. Nun aber schaute die Tülle der

Kanne mitten durch die Scheibe zum Fenster hinaus.
Scheibe kaputt, was nun?
Ich durfte es auf keinen Fall gewesen sein, der die Fensterscheibe zerbrochen hatte. Es war ja Krieg, Glas gehörte zu den kriegswichtigen Erzeugnissen. Das gab es nur auf Bezugsschein. Also schnell die Läden wieder geöffnet, Fenster geschlossen, von draußen einen mittleren Stein geholt, auf ein Stück Papier die Worte „Hui... Hui... Hui" geschrieben, den Stein darin eingewickelt und das ganze auf die Tischfläche gelegt, alles Bastelzeug abgeräumt und gereinigt, Jacke angezogen und die Wohnung verlassen, so als wäre ich nicht dagewesen.
In der Zwischenzeit kamen die Eltern und Geschwister in die Wohnung. Mein Vater hatte die Glasscherben natürlich schon gesehen. Mein Vater sah immer alles! Ich tat sehr erstaunt: „Wer mag das wohl gewesen sein?" Mein Vater sagte zu mir: „Mein Junge, das kannst nur du gewesen sein." Ich leugnete, denn nach meiner Vertuschungsaktion war das ganz selbstverständlich und erwiderte: „Jawohl, ich bin am Nachmittag in der Wohnung gewesen..., aber der Stein ist doch von draußen herein geschmissen worden, ich aber war drinnen, kann es somit doch nicht gewesen sein!" Darauf mein Vater: „Mein lieber Junge, schaue dir doch bitte einmal den Scherbenhaufen an, aber bitte genau." Naja, ich schaute, schaute noch einmal, konnte aber nichts Verdächtiges an dem Scherbenhaufen sehen. Darauf mein Vater: „Mein Sohn, wenn der Stein von draußen herein geworfen worden wäre, müssten die Glasscherben hier innen auf der Tischplatte liegen, aber es ist doch nicht so, die Scherben liegen auf der Außenfensterbank."
„Beim nächsten Mal aber..."
Klein-Günther ging ein Licht auf. Wenn auch etwas spät, rückte er mit der vollen Wahrheit heraus. Da mein Vater meine Mühe mit dem

Stein und Papier erkannte, gab es keine Strafe, aber die Ermahnung, beim nächsten Malheur doch gleich die Wahrheit zu sagen - und nicht über Umwege. Oder: „es das nächste Mal, naja, das mit den Scherben, richtig zu machen!“

Kunstmaler am Werk!

Meine ersten Künste als Kunstmaler liegen so um die sechzig Jahre zurück. Ich kann mich noch gut erinnern. Es war in unserer Elternwohnung im Paul-Beneke-Weg in Danzig. Die Anstreicher der Werft hatten die Wohnung erst vor ein paar Tagen verlassen, nachdem sie alles neu gestrichen hatten. Die Wände wurden zur damaligen Zeit unifarben gestrichen und dann mit einer Mustergummirolle mit abgetönten Farben abgerollt.

Am Samstagabend, unsere Eltern waren ausgegangen, ich war mit meinen Brüdern Heinz und Ehrenfried allein in der Wohnung. Nachdem wir unsere üblichen Streiche absolviert hatten, wie der berühmte Sprung vom Kleiderschrank in die Elternbetten, wurde vor lauter Langeweile gestritten. Mein Bruder Heinz, immer etwas jähzornig, warf in seiner Rage mit einer Schere nach mir. Ich habe mich gebückt und die Spitze der Schere stach in die frisch gestrichene Wand, etwa 20 Zentimeter über der Lehne des Sofas. Was nun? Als erstes herrschte unter uns Brüdern wieder Frieden. Es wurde beratschlagt, wie wir den Schaden wieder in Ordnung bringen könnten. Wir waren alle drei überzeugt, dass es für uns körperlich gesehen besser wäre, wenn das Loch in der Wand wieder zu wäre.

So gingen wir gemeinsam ans Werk. Aus der Küche wurde eine Scheibe Brot geholt, dasselbe zu einem festen Brei gekaut und dann in das Loch hineingedrückt. Das Loch war also in seiner Form wieder zu, aber der Farbunterschied zu der frisch gestrichenen Wand war unübersehbar. Ich holte meinen Tuschkasten, rührte Farbe an und legte anschließend den Farbgrund an.

Nun ging es fix weiter, das Muster wurde eingemalt, das Werk war gelungen.

Alte Ansichtskarte von Danzig

Wir haben vorsichtshalber noch ein Kissen vorgestellt, damit die Eltern die frische Malerei nicht gleich sehen. Am nächsten Tag habe ich die Ränder des Brotkitts noch etwas nachgemalt. Die Eltern haben nichts gemerkt. Und ich, ebenso meine beiden Brüder, waren mit meinem Erstlingswerk zufrieden.

Kleine Notlüge, der Bonbons wegen

von Dora Heinlein aus Thüngersheim/Neuburg a. d. Donau

Bei einer Geburtstagsfeier unlängst, so mit allem drum und dran, wie es heute üblich ist, fiel mir eine Gratulationscour aus meiner Kinderzeit ein. Das war etwa ums Jahr 1930. Unsere Familie lebte damals noch in Neuburg an der Donau. Dort war auch eine Schulfreundin meiner Mutter verheiratet, das war die Frau Babette Blank. Die hatte im Dezember, am Barbaratag, Namenstag.

Ansichtskarte von Neuburg an der Donau

Ich muss noch dazu sagen, dass zu dieser Zeit fast nur Namenstag gefeiert wurde, Geburtstage kamen später.
So schickte uns unsere Mutter an diesem Tag los, ihrer Freundin zu gratulieren. Wir waren drei Geschwister, ich, die Älteste, acht Jahre alt, meine Schwester Hilde, 7 und unser Brüderlein Karl war fünf Jahre alt.

Wir marschierten also von der Donauwörther Straße zur Münchener Straße, wo das Ehepaar Blank ein Baugeschäft hatte.
Dort sagten wir drei der Frau Babette auch brav unser Namenstags-Sprüchlein auf. Danach durften wir uns an den Küchentisch setzen und bekamen ein Springerl eingeschenkt. Heute sagt man dazu Limo, und es ist nichts Besonderes mehr, hat auch nicht mehr so eine tolle Farbe; rot, grün oder gelb. Wahrscheinlich hieß es deshalb Springerl, weil es so sprudelte wie ein Springbrunnen.

Alte Bonbondose

Danach sagte unsere freundliche Gönnerin: „So, jetzt geht ihr wieder schön heim und grüßt eure Eltern. Weil ihr so brav gratuliert habt, kriegt ihr auch ein Geld von mir!“
So bekam ich als die Älteste einen 10-er, meine Schwester Hilde einen 5-er und unser kleiner Bruder ein 2-Pfennig-Stück.

Damit trollten wir von dannen.
Was aber konnten wir jetzt unternehmen mit unserer Einnahme von 17 Pfennigen?
Brachten wir das Geld mit nach Hause, nahm es uns vielleicht die Mutter ab, die ja jeden Pfennig brauchen konnte. So zogen wir zum nächsten Kramerladen, wo wir »Gutseln« einkauften. Für Schokolade reichte es leider nicht, aber dafür gab es schöne rote Himbeerbonbons. Die wurden früher in großen Deckelglas-Behältern aufbewahrt, die auf keiner Ladentheke fehlen durften. Der Kaufmann zählte sie ab in ein kleines braunes Tütchen. So konnten wir uns den Heimweg versüßen. Unterwegs gesellten sich noch Nachbarskinder dazu, die auch großzügig was abbekamen.
Daheim mussten wir unserer Mutter erzählen, wie es war. Natürlich fragte sie uns, ob uns die Tante Babette nicht auch was geschenkt hätte. Wir verneinten das. Da meinte Mutter nur kopfschüttelnd: „Sowas auch, so knickrig hätte ich mir meine Freundin nicht vorgestellt!"
Diese kleine Notlüge unsererseits war wohl erlaubt. Denn es gab in jener Zeit nicht jeden Tag Bonbons oder Schokolade. Ich kann mich auch nicht erinnern, das irgend ein Kind in meiner Schulklasse jemals Taschengeld bekam.

Mit dem Oberaltertheimer Opa nach Würzburg

von Andreas Götzelmann aus Oberaltertheim

Vor dem 2. Weltkrieg war die Technik bei weitem nicht so weit entwickelt wie sie das heute ist. In unserem Dorf gab es gerade einmal ein Auto und ein paar Motorräder. Wer es sich leisten konnte, fuhr eine »Sachs« oder eine »Quick«, das waren Kleinkrafträder. Da war die Nachricht, dass ein Zeppelin nach Würzburg kommt, schon eine kleine Sensation. Die »Fliegende Zigarre« musste man gesehen haben!

Luftschiff »Hindenburg«

Im Jahr 1937 oder 1938 war das Luftschiff »Hindenburg« auf einer Propagandafahrt durch ganz Deutschland, wobei es in allen Groß-

städten landete. Diese Schau war auch in Würzburg vorgesehen und die Bevölkerung war dazu eingeladen, nein, vielmehr aufgefordert, zu kommen.
Für meinen Großvater Georg Götzelmann aus Oberaltertheim waren solche Ereignisse immer von größtem Interesse. Also war es selbstverständlich, dass er sich zur Fahrt anmeldete. Dass ich mit ihm durfte, wurde mit den Worten erklärt: „Dar Klee (Kleine) will das doch saah“, wobei ich heute nicht sicher bin, ob diese Aussage nicht eine Ausrede seiner Bärbel gegenüber war, die an solchen Vergnügungen kein so großes Interesse hatte.
Die Besucher der Schau wurden an einem Sonntag mit Sonderbussen nach Würzburg zum Flugplatz, der heutigen Sky-Line, gebracht. Dort stand schon eine riesige Menschenmenge, die auf die Ankunft des Luftschiffes wartete.
Das Wetter war sehr schlecht, es regnete in Strömen und ein Bekannter, der einige Jahre jünger ist als ich und den der Schneiders-Basl, ein Schneider aus Oberaltertheim mitgenommen hatte, erzählt noch heute, nach über 60 Jahren, dass ich, hinter ihm stehend, meinen Regenschirm so gehalten hätte, dass ihm das ablaufende Regenwasser ständig in seinen Kragen gelaufen sei. Ausweichen seinerseits sei unmöglich gewesen, weil er in der Menschenmenge eingekeilt gewesen sei. Zu meiner Schande muss ich gestehen, dass ich glaube, dass sich mein Bekannter richtig erinnert.
Zurück zum Zeppelin. Als er mit einiger Verspätung endlich ankam, konnte er wegen des starken Regens nicht landen, so dass wir ihn nur aus der Ferne sehen konnten und auch bald schon den Flugplatz wieder verlassen mussten. Am Eingang hatten, in Erwartung eines guten Geschäftes, verschiedene Händler einen Stand aufgeschlagen. Es gab Obst, Süßigkeiten und Getränke.
Weil Besuche in der Stadt früher eher selten waren, war es Sitte,

dass man den Daheimgebliebenen ein sogenanntes »Stadt-Stück« mitbrachte. Darum sagte ich zu meinem Großvater: „Härrla, i will dr Moddr öbs midbräng“! Er antwortete: „Was wist dan käff?“ Pfirsiche gab es an einem Obststand und Pfirsiche gab es damals keine bei uns. Wir erstanden deshalb gemeinsam 1 kg Pfirsiche, die mir in einer braunen Papiertüte überreicht wurden. Darauf machten wir uns auf den Weg zur Bushaltestelle, die unten in der Stadt lag. Schon nach kurzer Wegstrecke hatten der Regen und die überreifen Früchte die Tüte aufgeweicht, und ich machte den Großvater darauf aufmerksam, dass ich die Packung so nicht mehr tragen könne.

Er wusste Hilfe, hielt auf dem Gehsteig an, breitete sein rotes »Schnupftuch« aus, schüttete die Pfirsiche hinein, band die vier Zipfel des Tuches zusammen und steckte dann noch seinen Gehstock durch das Gebinde. Alles zusammen legte er mir auf die Schulter, nahm mich bei der Hand und so zogen wir weiter der Stadt entgegen.

Der Weg führte über die Rottendorfer Straße zur Stadtmitte. In dieser Straße wohnten die »besseren Leute« von Würzburg, sie standen fast überall an den Fenstern und sahen den heimkehrenden Zeppelinbesuchern zu. Ich bemerkte, dass diese Leute an den Fenstern lachten, als sie uns sahen und ich fragte den Großvater: „Härrla, wrüm lacha dann dia Leud?“ Seine Antwort war kurz: „Das sän dummi Leud, dia muss mr lass lach“.

Heute bin ich ganz sicher, dass er genau wusste, warum die Leute lachten. Dieser alte Mann mit seinem Enkel, der dieses rote Tuch mit einem Stock über der Schulter trug - wie zwei Vetter vom Land.

Heute aber bewundere ich ihn immer noch, weil ihm das gar nichts ausmachte, dass er der Grund zum Lachen war, weil er so selbstsicher und gelassen war. In manchen Situationen habe ich schon oft gedacht: Manchmal möchte ich so wie der Großvater sein!

„Advent, Advent, ein Lichtlein brennt“

von Rita Amersbach, geb. Schmelz aus Wolfsmünster

Große Kinderaugen unterm Weihnachtsbaum

Die stille Zeit, so nannte man früher die vorweihnachtliche Adventszeit. Ja, stiller als heute ist sie damals gewesen, so empfand ich es wenigstens und habe viele Erinnerungen daran.
Dieser adventliche Rummel heutzutage wird von Jahr zu Jahr schlimmer. Weihnachtsmärkte sprießen überall hervor und eine Niklaus- oder Weihnachtsfeier löst die andere ab. Die Frauen jagen durch die Geschäfte, um für ihre Familien Geschenke zu besorgen. Die Kreativen haben dies und jenes noch fertig zu stellen. Hetze und Stress zeichnen ihre Gesichter. Besonders berufstätige Frauen mit Kindern sind enormen Belastungen ausgesetzt, die meistens zu ungeheuren Spannungen führen und sich spätestens beim Aufstellen

und Schmücken des Weihnachtsbaumes entladen. Alle Jahre wieder lesen wir in der Zeitung von Familientragödien, die sich in den so viel besungenen sogenannten »friedlichen Weihnachtstagen« abspielen.
Wenn ich an früher denke, dann erinnere ich mich besonders an die Nachkriegsjahre. Die langen Abende und das gemütliche Beisammensein in der warmen Küche ließ unsere Familie näher rücken. Mit den Stallarbeiten wurde man um diese Jahreszeit frühzeitiger fertig. Nach dem gemeinsamen Abendessen ging jeder seinen Neigungen nach. Unsere Mutter strickte sehr viel in dieser Zeit. Und an manchen Abenden wurde das Spinnrad getreten, um neue Wolle zu gewinnen. Der Vater ruhte sich bei einem Krug Most von seiner anstrengenden Arbeit aus oder fertigte noch einige Besen und Weidenkörbe an. Gerne ging er auch mal auf einen Plausch und eine Prise Schnupftabak zu seinem Freund Wilhelm. Und meine Brüder beschäftigten sich mit weihnachtlichen Bastelarbeiten. Laubsägearbeiten waren damals sehr beliebt. Oder wir spielten Mühle und mit den Karten »Schwarzer Peter«. Da es an Kerzen mangelte in jener Zeit, sammelten wir sorgfältig alle Kerzenreste. Auch aus der Sakristei brachten meine Brüder, die Ministranten waren, gelegentlich Kerzenabfälle mit, um sie zu schmelzen und daraus neue Kerzen zu ziehen. Ich erinnere mich nicht, dass wir damals einen Adventskranz gehabt hätten. Dafür hatten wir keinen Platz in unserer Küche und einzigem beheizten Raum. Den Adventskranz gab es in der Kirche und im Schulzimmer. Ich nahm mir einen Apfel, in dessen Mitte steckte ich eine Kerze und bestückte ihn mit kleinen Fichtenzweigen. Das sah sehr schön aus und hat mir gefallen. Adventszeit hieß für uns schulpflichtige Kinder damals, zeitig zu Bett gehen und früh aufstehen. Um viertel vor 6 Uhr war die Nacht vorbei. Schlaftrunken krochen wir aus den warmen Betten. Die Küche war um diese Zeit

noch sehr kalt, da die Mutter erst kurz vorher das Feuer anzündete. Eisblumen überzogen die Fensterscheiben und ließen uns ahnen, wie kalt es draußen war. Aus dem Wasserschiff des Küchenherdes schöpfte die Mutter etwas Wasser, das nicht ganz so kalt war und fuhr uns mit dem Waschlappen übers Gesicht. Dann wetzten wir ohne Frühstück täglich in die Kirche, um der »Rorate«, der Hl. Messe, beizuwohnen. Begeistert sang ich die Adventlieder mit, die so voller Erwartung und Sehnsucht nach dem Erlöser waren. Da Wolfsmünster eine holzreiche Gemeinde ist, wurde damals schon bei strenger Kälte die Kirche beheizt. Aus den Heizungsschächten vorne im Kirchenschiff stieg warme Luft empor und verteilte sich im Kirchenraum, das war schon sehr angenehm. Allerdings qualmte es auch manchmal, so dass vorne am Altar der Herr Pfarrer im Rauch ganz schön eingenebelt wurde.
Die Wochen vor Weihnachten wurden von uns Kindern in einer freudigen Erwartung gelebt. Aber die Zeit wollte und wollte nicht vergehen. An einem Adventskalender konnten wir uns nicht orientieren. Oft fragten wir deswegen unsere Mutter voller Ungeduld, wie lange dauert es denn noch, bis endlich Weihnachten ist. Ihr müsst noch so und so oft schlafen, hieß es dann immer. Oder wenn in der Kirche alle Kerzen am Adventskranz brennen, dann ist es soweit. Als Kleinkind schien mir die Zeit bis dahin ewig lange zu dauern. Derweil backte unsere Mutter Unmengen von Plätzchen. Sie bevorzugte solche, die nicht so aufwendig waren. Spritzgebäck in verschiedenen Varianten, Butterplätzchen, Makronen, Lebkuchenschnitten, Anisplätzchen, Vanillehörnchen, Springerle und Christstollen, die durften auf keinen Fall fehlen. Diese hat unsere Mutter auch am liebsten gegessen. Genüsslich zogen wir den süßlichen Wohlgeruch durch die Nase und das ganze Haus duftete nach allerlei Gewürzen. Da lief uns im Munde das Wasser zusammen. Plätzchen

backen war immer etwas Schönes und wir wollten der Mutter dabei gerne behilflich sein. Allein der Teig schmeckte ja so gut. Schnell stibitzte ich mir hier und da ein Bätzchen davon. Das Backen im Küchenherd war gar nicht so einfach. Immer die gleichbleibende Temperatur zu halten, war reine Gefühlssache. Da passierte es schon mal, dass einige Plätzchen zu dunkel gerieten. Uns Kindern war das nur recht. So durften wir sie gleich vernaschen. Die vielen Plätzchen bewahrte die Mutter in mehreren großen Kartons auf. Einige bewahrte sie im ungeheizten Wohnzimmer auf und zog den Schrankschlüssel ab. Weitere Verstecke waren im oder auf dem Schlafzimmerschrank oder in der Kommode. Diese Verstecke waren weniger gut, denn ich fand sie immer.

Eine Woche vor Heilig Abend etwa, manchmal auch erst kurz davor, holte unser Vater den Christbaum. Er ging in den Gemeindewald, den Holzrechtlern war es damals erlaubt, sich eine junge Fichte zu schlagen. Dieses Bäumchen, von dem ich schon wusste, dass es das Christbäumchen werden sollte, stand noch einige Tage in der Scheune, bis es plötzlich verschwunden war. Wo ist der Baum hingekommen, fragte ich verwundert meine Mutter. Den haben die Englein geholt und in die »Stube« (Wohnzimmer) gestellt, um ihn zu schmücken, sagte sie. Von nun an blieb bis zum Heiligen Abend das Zimmer verschlossen.

Das weckte natürlich meine kindliche Neugierde und ich versuchte, durch die Schlüssellöcher der beiden Wohnzimmertüren zu schauen, aber nichts war zu sehen. Auch der Versuch, mich an der Hauswand hochzuziehen, schlug fehl. Ich war einfach noch zu klein mit meinen 4-5 Jahren, um hinein sehen zu können. Ja, wie kommen denn die Engel hinein, wenn doch alles zugesperrt ist, wollte ich wissen. In der Nacht, ich lasse das Fenster zum Hof einen Spalt offen, antwortete meine Mutter. Das beschäftigte mich fortan sehr.

Während die Eltern noch beim Füttern der Tiere waren, wurde es draußen ganz dunkel. Ich lehnte am Scheunentor und schaute immer wieder zu dem geheimnisvollen Fenster hin und stellte mir vor, dass viele Englein unterwegs sind, um all die vielen Christbäume zu schmücken. Zu gerne hätte ich nur eines einmal gesehen.
Zu meinen liebsten Liedern damals gehörte: „Schneeflöckchen, Weißröckchen, wann kommst du geschneit, du wohnst in den Wolken, dein Weg ist so weit....“
Das habe ich oft gesungen, damit wollte ich immer den Schnee herbei singen. Und folgendes Lied gefiel mit, das einer meiner Brüder immer so gerne sang: „Es hat sich halt geöffnet das himmlische Tor, da kugle ganz haufeweis die Engelein hervor. Sie kugele, sie gagele und schlage Burzelbamele, bald rauf und bald runter, bald hin und bald her, bald übersche, bald untersche, das gefällt uns halt so sehr.“
Ja, so stellte ich mir das mit den Engeln vor und fieberte ungeduldig dem Heiligen Abend entgegen.

Mit List und Tücke für abendliche Ruhe gesorgt

von Anna Listl, geb. Zügner aus Würzburg

Meine Eltern, der Bruno und die Thekla, meine Schwester Helma, noch ganz klein, und ich, die Anna, wohnten in einem althistorischen Haus. Damals hat es noch dem alten Kläppermüller gehört. Unter der »Läwer« ging eine kleine Treppe zu einer Holztüre, die ohne Vorplatz in unsere Schlaf- und Wohnstube führte. An den Abenden, vor allem am Samstagabend, war unter der »Läwer« der Treffpunkt der jungen Burschen von Rieneck. Fernsehen gab es ja noch nicht und Geld fürs Wirtshaus war auch knapp. Der größte Teil der jungen Leute war arbeitslos. Bei diesen Treffen wurde so manche Diskussion ausgetragen, auch so manche Raufe-rei, was mit viel Lärm verbunden war. Die Bur-

Ansichtskarte von Rieneck

schen haben sich natürlich auch auf die kleine Treppe, die zu unserer Stube führte, gesetzt. Die Türe hat so manchen Rumser abbekommen. Der Lärm war für uns unangenehm. Das ging oft bis weit nach Mitternacht, und so lange draußen keine Ruhe herrschte, war für uns an Schlaf nicht zu denken. Alles Schimpfen und gutes Zureden nutzte nichts. Mein Vater hat sich den Kopf zerbrochen, wie er Abhilfe schaffen könnte.

Nun wurden in jenem Sommer, aus welchen Gründen auch immer, einige Fichtenstämme vor dem Rathaus abgeladen. Nadelholz enthält ja bekanntlich Harz. Es war damals ein heißer Sommer und die Baumstämme lagen in der prallen Sonne. Aus den Baumstämmen lief das Harz und lief und lief.

Das brachte meinen Vater Bruno auf einen verwegenen Gedanken. In der Dämmerung, als er sich unbeobachtet glaubte, hat er sich von dem Harz, das von der Sonnenglut noch flüssig war, einen Becher voll geholt und auf die Stufen der kleinen Treppe gestrichen. Dann harrte er der Dinge, die da kommen würden. Mittlerweile wurde es dunkel, die Beleuchtung auf den Straßen im damaligen Rieneck war sehr bescheiden und die jungen Burschen trudelten so nach und nach ein. Wir erwartet haben sie sich auch auf die Treppe gesetzt. Es hat eine Weile gedauert, bis sie bemerkten, worauf sie sich niedergelassen hatten.

Dann brach ein Gewitter los und die »Dunnerkeile« und andere Flüche wurden losgelassen. So mancher Hosenboden bot aber auch keinen schönen Anblick mehr. Nur einer hat sich diebisch gefreut. Na wer wohl ??? Die folgenden Abende waren dann etwas weniger lautstark. Zumindest wurde nicht mehr an unsere Türe gerumst.

Das neue Medium Fernsehen

von Josef Oestreicher aus Karlstadt

Im Zeitalter des Internet und der modernen Kommunikation ist es für die Jugend schwer vorstellbar, ohne Fernsehen zu leben. Heute steht oft in jedem Kinderzimmer ein Fernseher und sollte einmal ein Gerät defekt sein, lohnt sich kaum noch eine Reparatur bei den niedrigen Preisen. Ich kann mich noch an eine TV-lose Zeit erinnern, obwohl bei uns das erste Fernsehgerät gekauft wurde, als ich erst 6 Jahre alt war.

Eines der ersten Geräte in Eßleben, Landkreis Schweinfurt, hatte meines Wissens in den 50er Jahren Adam Weißenberger, wohnhaft an der Linde. Das war die Sensation im Dorf. Die 2 Gasthöfe wetteiferten miteinander und kauften auch bald ein Gerät, um ihren Gästen etwas Sensationelles bieten zu können. Ich erinnere mich auch noch gut daran, wie ich einmal mit meinem Bruder Paul Brennholz in den Keller der Gastwirtschaft »Goldener Stern« trug, sie war das Nachbarhaus, und wir dann als Lohn keine Schokolade wollten, sondern lieber dafür die Kinderstunde anschauten. Aber am 13.7.1961 endete auch für unsere Familie die TV-lose Zeit. Zum Namenstag meines Vaters wurde ein Fernsehgerät der Marke Siemens Typ FS 226 auf dem Gabentisch präsentiert. Dieses Gerät war sehr modern und besaß schon ein UHF Teil. Nun gehörten auch wir zu den wenigen stolzen Besitzern eines Gerätes im Dorf. Die Antenne wurde vom Dorfelektriker montiert, der uns auch das Gerät lieferte.

Da sich in fast allen Haushalten meiner Freunde und der Freunde meiner 4 Geschwister noch kein Fernseher befand, war vor allem sonntags zur Kinderstunde eine große Kinderschar bei uns versammelt. Der Rekord lag einmal bei 17 Kindern, die bei uns am Sonntagnachmittag zum Fernsehschauen versammelt waren. Heute wäre dies undenkbar. Die wichtigsten Kindersendungen waren amerikanische Serien wie »Fury, Lassie und Rin-Tin-Tin«. Diese Sendungen wollte niemand verpassen. Auch zu der Krimiserie »Stahlnetz« und zum Fußball-Endspiel von 1966 in England kamen Verwandte ins Haus, die kein Gerät hatten. Meine Geschwister und ich durften aber keinen Thriller wie Stahlnetz anschauen. Aber Mitte der 60er Jahre entspannte sich diese Situation, denn ab dieser Zeit gehörte ein Fernsehgerät zum Standard der meisten Familien. Als dann am 25.8.1967 das Farbfernsehen in Deutschland eingeführt wurde, war es diesmal die Gastwirtschaft »Zum Schwan«, die das erste Farbfernsehgerät hatte. Das allgemeine Programm wurde noch in schwarz-weiß gesendet, nur ein paar amerikanische Serien und Spielfilme am Abend wurden in Color ausgestrahlt. Obwohl ich erst 14 Jahre alt war, ging ich mit meinen Klassenkameraden zum

Fernsehen in die Gastwirtschaft »Zum Schwan«. Die beliebteste Serie war für uns »Invasion von der Wega«. Es war toll, wie die Außerirdischen verglühten. Dieses Vergnügen ließ ich mir bei einer 0,5 l Limo 0,55 DM kosten. Meine Schwester Monika hatte dann als erste aus der Familie, noch vor der Olympiade von 1972, ein Colorgerät. Bei meinen Eltern wurde der Bildschirm nach diesem Sportereignis bunt.
Ein wichtiges Ereignis, das ich nie vergessen werde, war die Mondlandung am 20.7.1969. Ich war damals schon sehr interessiert an Raumfahrt und Technik und hatte, weil schulfrei war, von früh bis spät am Abend vor dem TV-Gerät gesessen. Ich wollte auf gar keinen Fall den Mondspaziergang verpassen. Gegen 23.00 Uhr konnte ich mich aber trotz Kaffee nicht mehr wachhalten und ging zu Bett, in der Hoffnung, dass die Astronauten erst am Morgen den Mond betreten würden. Als dann aber am 21.7. um 3:56 Uhr und 20 sec. MEZ Neil Armstrong den Mond betrat, schlief ich tief und fest. Gegen 6 Uhr wurde ich geweckt und konnte nur noch die letzten Minuten im Original verfolgen. Den ganzen Mondspaziergang musste ich nun als Aufzeichnung, die den ganzen Tag ausgestrahlt wurde, verfolgen.
Heute im Zeitalter des Satelliten- und Digitalfernsehens mit weit mehr als 20 Programmen und mit der Möglichkeit zum Empfang von ausländischen Sendern scheint dieser Bericht wie aus einer sehr fernen Zeit.

Das Heuhüpfen

von Walter Langohr aus Marktheidenfeld

Wir hatten eine große, aber recht verwinkelte Scheune. Diese wurde um 1780 von meinem Ururgroßvater im Sinngrund erbaut und später im Laufe der Jahrzehnte 5mal vergrößert und erweitert. Bei der Heu- oder Grummeternte hatte ich selbstverständlich gemeinsam mit meinen Geschwistern auf dem Felde mitzuhelfen. Vormittags musste ich mit dem Holzrechen von Hand Heu wenden und nachmittags - beim Heu einfahren - liegengebliebenes Heu säuberlich zusammenrechen. Wenn meine Geschwister und ich dann abends verschwitzt und müde waren, fühlten wir uns unwohl. Der Schweiß hatte sich mit dem Heustaub vermischt. Es juckte und klebte am ganzen Körper. Badezimmer gab es noch keine. Es wurde nur am Samstagabend, also einmal in der Woche, und zwar in der Waschküche gebadet.

In unserer schönen Heimat Dinkelsbühl in Mittelfranken gibt es aber viele große Fischteiche, die ganz idyllisch in einer waldreichen Landschaft, ja oft in Waldwiesen malerisch eingebettet sind. Wenn wir 4 Geschwister tagsüber tüchtig auf dem Felde mitarbeiteten und keine Mühe scheuten, durften wir abends mit Erlaubnis der Eltern zur Belohnung in diesen Teichen baden. Die älteren Geschwister mussten dann allerdings auf uns Kleine aufpassen. Doch Schwimmen konnte ich schon längst, das hatte ich als 4-jähriger ganz alleine und ohne Beaufsichtigung gelernt. So gingen wir jeden Abend, wenn das Wetter gut war, zur Sommerzeit baden, um unsere Körper von dem beißenden Heustaub zu befreien. Damals gab es oft noch extrem heiße und trockene Sommer. Die Wiesen waren von der Hitze und der oft Monate andauernden Dürre braun gebrannt. Das Viehfutter ging aus und Wasser musste in großen Fässern von weither geholt werden, damit das Vieh nicht verdurstete. Das Wasser in den Fischweihern war lauwarm und ideal für uns zum Schwimmen. Der »Fuchsenweiher« war unser Lieblingsfischteich, knapp 2 km Fußweg von zu Hause entfernt. Hier traf sich abends die ganze Dorfjugend und es wurde oft nachts 10 - 11 Uhr, bis wir wieder zu Fuß allesamt und wohlbehalten zu Hause ankamen.

Heu aufladen - früher noch Handarbeit

In unserer großen und alten Scheune wurde das Heu in einem speziellen Viertel, im sogenannten Heustock, eingelagert. Das Heu war lang, leicht und sperrig, aber es duftete wunderbar. Im Nu waren die vorgesehen Berg- bzw. Lagerräume voll. Schulkolleginnen und Kollegen wurden von mir und meinen Eltern geradezu hofiert, zu uns zum »Heuhüpfen« zu kommen. Erstmal haben wir Kinder unter Anleitung meiner Mutter das lose liegende Heu festgetreten, besser gesagt festgetrampelt. Dadurch wurde im Scheunenviertel mehr Lagerkapazität geschaffen. Dann begann für uns Schlingel das eigentliche Vergnügen, das Heuhüpfen. Das waren fast halsbrecherische Angelegenheiten. Wir sprangen über die kreuz und quer verlaufenden Holzbalken hin und her, hüpften von da aus ins Heu. Es waren Sprünge von 2-5 m Tiefe. Aber man konnte sich, wenn man aufpasste, nicht verletzen. Nein, wir fielen weich und herrlich angenehm, gleichsam in eine riesige Matratze aus Heu, die einen wohltuend und wunderbar duftend umgab. Einmal hat sich unsere Freundin und Spielgefährtin, die Lifka Lily, fast die Zunge abgebissen. Sie hüpfte von einem hohen Balken ins Heu, und wie eben Frauen oder besser gesagt kleine Mädchen sind, sprach sie währenddessen. Beim Aufprall ins Heu schlug der offene Unterkiefer zu und die Zunge war halb ab. Sofort gingen wir mit Lily zu Dr. Schütz, der bei uns noch im Hofhaus wohnte und Arzt war. Von meinem Vater wurde er wegen seiner unkonventionellen Heilmethoden spöttischerweise Dr. Eisenbart genannt. Dr. Schütz gab seinem Spitznamen alle Ehre. Erstmal beruhigte er die heulende und stark aus dem Mund blutende Lily.

Er meinte, wenn sie mal heiratete, wäre das längst alles gut verheilt. Das tröstete die Arme zusehends. Dann schmierte er ihr jede Menge Butter auf die Bisswunde an der Zunge und wies sie an, dies mehrmals täglich zu wiederholen. Nach wenigen Tagen war Lilys Zunge verheilt und sie konnte wieder bei uns Heuhüpfen. Wir Buben redeten weniger als die Mädchen, dafür waren wir wagsamer. Meine Freunde, der Vogels Werner, sein Bruder Herbert und auch ich konnten inzwischen barfuß auf den schmalen und quer verlaufenden Holzbalken gehen, spielten dabei Fangen und machten die ganze Scheune unsicher.

Es war uns ganz egal, ob etwa 5 m darunter Heu war oder Erntemaschinen wie der »Heuwender« oder der blanke Betonboden in

gähnender Tiefe. Wir sahen, wie unbefangen und sicher die Zimmerleute im Dorf in schwindelnder Höhe beim Haus- oder Scheunenbau auf den Dachbalken und Sparren hin- und herliefen. Das imponierte uns. Wir waren schwindelfrei und machten es nach!
Nun zurück zum Heu: Dort wo das Heu unter den Querbalken lagerte, setzte sich dieses mit der Zeit ab und es entstanden richtige Höhlensysteme, die wir nutzten und sozusagen in der »Unterwelt« Räuber und Gendarm spielten. Unter einem größeren Zwischenboden setzte sich ebenfalls das Heu ab. Daraus entstand für uns alle ein richtiger Versammlungsraum, nur durch Höhlen für uns erreichbar. Dieser Raum war etwa 1,20 m hoch und vielleicht 40 m^2 groß. Es war unser »Gemeindesaal«. Alle möglichen Lichtquellen wurden von uns Kindern mit Heu sorgsam abgedichtet, so dass es stockdunkel war. Hier hielten wir täglich unsere Ratssitzungen ab, zu denen inzwischen schon die ganze Dorfjugend kam. Auch Lily war selbstverständlich dabei. Jetzt, wo ihre Zunge wieder gut zusammengewachsen war, Dank »Dr. Eisenbart«, funktionierte auch ihr Mundwerk wieder ausgezeichnet! Im Gemeindesaal erzählten wir uns gruselige Geschichten oder sangen alle zusammen schaurige Lieder wie »Negeraufstand ist auf Kuba« oder »Auf der Straße von Canossa hängt der Hut von Barbarossa«. Noch heute, Jahrzehnte später, wenn wir uns mal treffen, schwärmen wir von der damaligen Freiheit und den romantischen Zeiten.
Die Flüchlingskinder hatten oft Hunger, zumal die Nahrungsmittel damals teuer waren und deren Eltern wenig Geld hatten. Diese Kinder waren unsere besten Spielgefährten und Freunde. Wir haben sie oft zu unseren Eltern mitgenommen, wo sie mit uns Bauernkindern gemeinsam arbeiteten. Nach getaner Arbeit bekamen sie von meiner Mutter ein großes Stück Schwarzbrot mit Speck, manchmal auch mit Schweineschmalz oder Griebenschmalz üppig bestrichen.

Darauf wurde etwas Pfeffer und Salz gestreut, das schmeckte herrlich. Auch damals gab es schon ungehorsame Kinder, das ist keine Erfindung der Neuzeit. Doch vor meiner Mutter hatten alle gehörigen Respekt und es wurde ihr jeder Wunsch von meinen Spielgefährten und natürlich auch von mir erfüllt. Zum Abschluss der »Heuhüpfsaison« durfte ich alle beteiligten Kinder zum Eisessen zu uns einladen. Mutter hatte eine gebrauchte, recht altertümlich anmutende Eismaschine von ihrem Eiergeld gekauft. Die Zutaten, laut Rezept aus dem Kochbuch, wie Eier, Schlagrahm und Milch hatten wir aus eigener Produktion, dazu noch etwas Vanille und Zucker aus dem Küchenbuffet. Nun haben wir von unserem Nachbar, dem Gastwirt Nußelt, Eisbrocken für 20 Pfennig gekauft, die dieser ohnehin in seinem Keller zum Kühlen des Lagerbieres hatte. Ich bekam die ehrenvolle Aufgabe, diese Eisbrocken mit dem Hammer klein zu schlagen und in den äußeren Kühlmantel der Eismaschine zu füllen. Mutter brachte die selbst zubereitete flüssige Eismasse und füllte diese in den inneren Behälter hierfür. Nun drehte ich einige Stunden ganz genüsslich die Handkurbel der Eismaschine in Vorfreude auf das Eis, das langsam aber sicher die gewünschte Konsistenz annahm. Dann kam der große Augenblick: Wir, das heißt alle »Heuhüpfbeteiligten« aßen herrliches Eis - ohne Chemie, ohne Geschmacksverstärker und alles ohne Geld. Meine Spielgefährten und Freunde beneideten mich um meine Mutter und ich war richtig stolz auf sie!

Vom Waschbrett und fleißigen Waschfrauen

von Brigitte Diehm, geb. Friedlein aus Bettingen

Beim Füllen meiner Waschmaschine dachte ich mir: „Das ist doch eine geniale Erfindung! Nur ein paar Handgriffe und schon läuft sie!"

Ansichtskarte von Bettingen

Wer möchte sie heute noch missen? Ich nicht!
Dieser Meinung sind bestimmt viele Hausfrauen und vielleicht auch Hausmänner, oder?
Wenn ich da so an den Waschtag, wie ihn meine Mutter noch praktizierte, zurückdenke, bedauere ich sie heute noch.

Große Wäsche etwa alle vier Wochen

Die große Wäsche war so ca. alle vier Wochen. Da wurden nämlich sämtliche Betten abgezogen. In den Wochen hatte sich auch allerhand schmutzige Unterwäsche angesammelt, obwohl diese in meiner Kindheit nur wöchentlich, nach dem wöchentlichen Bad, gewechselt wurde, falls nicht vorher einmal ein kleines Malheur passierte.

Auch ein großer Berg von bunten Schürzen und blauen Kitteln hatte sich angesammelt. Tags zuvor wurde die große Zinkbadewanne zweckentfremdet und die sortierte Wäsche in reichlich Wasser und Henko darin eingeweicht. Für die äußerst schmutzige Stallkleidung wurde eine extra Wanne genommen.

Im Sommer standen die Wannen im Hof, im Winter in der Futterküche, damit sie nicht einfroren.

Am Waschtag, schon bevor es in den Stall ging, wurde der Kessel, der bei uns in der Küche stand, mit Wasser gefüllt und angeschürt. Zuerst kam die weiße Wäsche in den Kessel. Bis gefüttert und gemolken war, hatte sie ja Zeit zum Kochen.

Gleich nach dem Frühstück ging dann die Wascherei los. Meistens half uns dabei eine Flüchtlingsfrau, die froh war, ein paar Mark zu verdienen. Gewaschen wurde bei uns, bis wir den Tabakschuppen mit Waschküche bauten, im Hof. Die mit der kochenden Wäsche gefüllte Wanne wurde in den Hof gestellt und mit dem Wäschestampfer bearbeitet.

Bei der Unterwäsche half das Waschbrett

Bei der Bettwäsche reichte diese Vorgehensweise in der Regel aus, aber die Unterwäsche, Hemden und Schürzen mussten auf dem Waschbrett feste gerubbelt werden. Stark verschmutzte Teile wurden noch zusätzlich mit einer Bürste bearbeitet.

Bis zum Mittagessen war meistens alles gewaschen und man hatte

sich das Essen reichlich verdient, eine fürwahr willkommene Erholungspause, denn der Rücken tat weh und die Hände waren von der Waschbrühe ganz aufgeweicht.
Nach dem Essen musste dann die Wäsche »ausgeglüht« (gespült) werden.
Dabei wurde auch wieder mit der hellen Wäsche begonnen. Da es damals noch keine Wäscheschleuder gab, musste alles mit der Hand ausgewrungen werden. Bei kleineren Stücken war das kein Problem, aber bei den Bettlaken und Überzügen, da war es schon schwieriger. Das wurde dann zu zweit gemacht. Der eine wrang rechts herum, der andere links herum.

Ansichtskarte von Bettingen

Im Winter gab es die steif gefrorene Wäsche

Es kostete schon viel Kraft, das Wasser einigermaßen herauszubringen, denn das Trocknen der Wäsche war auch so eine Sache. In

der warmen Jahreszeit ging es ja noch. Da wurde der ganze Hof mit der Wäscheleine bespannt, an die dann die Wäsche zum Trocknen aufgehängt wurde. Aber im Winter, da musste die Wäsche auf den Speicher gehängt werden, wo sie dann oft über eine Woche hing, und nicht selten starr wie ein Brett gefroren war. Aber bis sie wieder gebraucht wurde, war sie immer trocken.
Ungefähr Mitte der fünfziger Jahre war es, als einige Bauern auf die Idee kamen, sich gemeinschaftlich eine Waschmaschine und eine Schleuder zu kaufen. Am Milchhäuschen wurde eine Liste angebracht, in die jeder Teilhaber seinen Waschtag eintragen konnte.
Abends vor dem Waschtag konnte dann die Waschmaschine nebst Schleuder bei demjenigen abgeholt werden, der zuletzt auf modernste Weise gewaschen hatte. Das hatte auch sein Gutes! Denn oft reichte die Übergabe der Maschinen noch zu einem kleinen Pläuschchen.

Eine Waschmaschine für mehrere Familien

Nun war das Waschen der Wäsche auf einmal viel leichter geworden und überhaupt das Schleudern war eine tolle Sache! Die Wäsche brauchte nicht mehr so nass aufgehängt zu werden und war demnach schneller trocken. So fünf bis sechs Jahre ging es mit der Gemeinschafts-Waschmaschine, dann kaufte sich einer nach dem anderen selber eine. Bis 1965 tat auch bei uns so eine Waschmaschine und Schleuder ihre Dienste. Bis sie dann von einem Waschautomaten abgelöst wurde.

Jakob der Rabe

von Rudolf Heim aus Esselbach

In meiner Gesellenzeit stand ich an einem Haus in der Nähe des Waldes auf dem Gerüst und strich Fenster. Da hörte ich in meiner Nähe ein Geflatter. Überrascht drehte ich mich um.

Jakob - ein frecher Rabe

Da saß schräg hinter mir auf der Brüstung ein junger Rabe und sah mich neugierig an. „Na", sagte ich zu ihm, „du traust dich aber was". Er antwortete mir mit einem tiefen „Kraah-Kraah". Da ging nebenan ein Fenster auf, die Hausfrau schaute heraus und rief: „Jakob, komm mal her!" Da flog er auf ihre ausgestreckte Hand und labte sich an ein paar Bröckelchen. Ach so, dachte ich, der ist ja zahm. Wie die Frau mir dann erzählte, hatten sie ihn halb verhungert am Waldrand gefunden, wahrscheinlich hatten ihn seine Geschwister aus dem Nest geworfen. Sie nahmen ihn mit und zogen ihn groß. „Jetzt ist ein rechter Schelm aus ihm geworden", meinte sie, „passt nur auf, der kommt auch noch zu euch!" Sein Quartier hatte er auf dem hohen Birnbaum neben dem Haus; das war ideal, so konnte er alles übersehen und seine Streiche aushecken. Unsere Mittagspause machten wir auf dem Rasen, die Frau hatte uns freundlicherweise Gartentisch und Stühle angeboten, was wir natürlich gern und dankend annahmen. So saßen wir also bei angenehmstem Maiwetter draußen und ließen es uns schmecken. Und schon hatten wir Besuch: Jakob segelte herunter und landete neben uns. Wir gaben ihm von unserer Brotzeit etwas ab, was ihm sichtlich gefiel. Dann suchte er sich Zeitvertreib. Zuerst kamen unsere Taschen, die im Gras standen, dran. Er knabberte an den blinkenden Schlössern, dann zog er die Tasche nach allen Richtungen auf dem Rasen herum. Dabei plagte er sich redlich. Amüsiert schauten wir ihm zu. Jetzt wurde er schon kecker. Er flog auf den Tisch, besah sich sein Spiegelbild in unseren Gläsern, zog die Zeitung hin und her und warf sie schließlich hinunter. Nun überlegte er ein bisschen, dann steckte er blitzschnell seinen Schnabel in mein Bierglas. Empört sprang ich auf und rief: „Jetzt langt's aber, hau bloß ab!“ und schüttete ihm das restliche Bier nach. Aber Jakob war schon im Anflug auf seinen Baum und lachte uns kräftig aus. Am nächsten Tag war es ähnlich. Aber unsere Gläser hatten wir in Sicherheit gebracht. Als es ihm auf dem Tisch zu langweilig wurde, flatterte er meinem Kollegen auf die Schulter. Der hielt gerade die Zeitung vor sich und las gemütlich. „Na, was hast denn du vor“, sprach er zu ihm, „sag bloß, du willst auch mitlesen?“ Statt einer Antwort beugte sich Jakob vor und fetzte ihm ein großes Loch in seine Zeitung. Erbost schlug ihm mein Kollege auf den Schnabel, so dass Jakob das Gleichgewicht verlor und ins Gras purzelte. Eine Schrecksekunde lang blieb er sitzen, dann stob er mit lautem Gezeter auf seinen Baum. Steil aufgerichtet, mit gesträubten Nackenfedern stand er auf einem Ast und schimpfte mit agressiver Stimme auf uns herunter. Er war ganz schön wütend. Was er sich wohl dabei dachte? Vielleicht dies: „So eine Unverschämtheit! Haut der mir glatt auf den Schnabel! Dabei wollte ich doch bloß die Zeitung lesen! Da behaupten sie immer, wir Raben wären sehr weise. Was ja auch stimmt. Aber wo, bitte schön, sollen wir Raben unsere Weisheit hernehmen, wenn wir uns nicht informieren dürfen? Also, da kann mir einer sagen was er will, die Menschen sind einfach komische Vögel!“ Er tobte noch eine Weile da droben herum, dann flog er weg. Am anderen Tag kam er nicht zu uns herunter. Wir lockten ihn, warfen ihm etwas zum Fressen auf den Rasen, riefen: „Komm her Jakob!“ Doch es nutzte nichts. Er war tief beleidigt und trotzte mit uns. Kurz darauf flog er übers Hausdach davon. Als wir um ein Uhr in den Hof gingen, um unsere Pinsel zu holen, die dort in einem Wassertopf standen, trauten wir unseren Augen nicht! Der Topf war umgeworfen und unsere schönen weißen Lackierpinsel lagen im ganzen Hof verstreut. Man sah es an den Spuren auf den Platten, sie waren gerollt und gezogen worden, und voller Staub und Dreck. Sie waren, wie wir Tüncher dazu sagen, »gesalzt und gepfeffert«. Da brauchten wir nicht lange zu raten, das war Jakobs Rache für den Schnabelhieb! Wir rannten zurück in den Garten, reckten die Fäuste und riefen: „Jakob, du Schuft, du Gauner, du Tagdieb, wart nur, wenn du runter kommst!“ Erstaunt, mit schräg geneigtem Kopf, blickte er herab, als wollte er sagen: Was machen denn die für ein Theater da unten? Doch wenn man genau hinsah, konnte man Schadenfreude in seinen schwarzen Augen sehen. Aber wer konnte diesem lustigen Kerl schon ernstlich böse sein? An ein normales Weiterarbeiten war ja nun nicht zu denken. Jetzt hieß es: Verdünnung her, die verdreckten und schon halb harten Pinsel reinigen und weich machen und die Lackspuren auf den Hofplatten mussten abgerieben werden - wir hatten zu tun! Jetzt war Jakob quitt mit uns. Am folgenden Tag, beim Mittag machen, stellte er sich wieder ein und machte seine Streiche. Aber auf die Schulter flog er nicht mehr. Er hatte was gelernt. Da gab's aber noch einen Hausbewohner, an dem er sein Wohlgefallen hatte. Das war Waldi, der Dackel. Der rollte sich gerne, je nach Witterung, in der Sonne oder unter einem schattigen Baum zu einem gemütlichen Schläfchen zusammen. Das entging Jakob natürlich nicht; das ließ ihm keine Ruhe! Schlau wie er war, wartete er ab, bis Waldi in tiefem Schlummer lag. Jetzt ging's los. Er segelte in seine Nähe, landete vorsichtig und trippelte leise zu ihm hin. Dann biss er ihm herzhaft in den Schwanz, zog mit einem kräftigen Ruck und zischte sofort ab. Der so jäh aus seinen Träumen gerissene Dackel fuhr wütend herum und schnappte nach ihm. Aber der Rabe war schon auf seinem Baum und lachte ihn aus. Waldi bellte noch eine Weile zu ihm hinauf, dann trollte er sich verärgert, um sich ein besseres Plätzchen zu suchen. Ja, so war er, der Rabe Jakob. Ich denke immer noch gern an ihn zurück.

Silvester 1940 -
Zwischenstopp in Lohr

von Josef Gehrling aus Waldzell

Wir kamen mit einem Militärzug von Paris kommend in den frühen Morgenstunden des Silvestertages 1940 in Aschaffenburg an. Es war noch stockfinster. Der Zug war von Trier kommend die ganze Nacht gefahren ohne zu halten, vorbei an verdunkelten Bahn-Stationen.

Nun freute ich mich schon darauf, bald auch durch Lohr zu kommen und sicherte mir schon früh einen Fensterplatz.

Blick auf die Hauptstraße von Lohr a. Main

Erst als es schon etwas länger hell war, fuhren wir in Aschaffenburg los. Ein herrlicher Silvestertag war angebrochen, als wir aus dem

Tunnel waren und ich schon bald auf Lohr schauen konnte, ebenso auf die Berge und Wälder von Sendelbach, hinter denen meine Eltern wohnten, ahnungslos, dass ihr Sohn just in dem Moment ganz in ihrer Nähe war.
Doch plötzlich bremste der Zug ab und fuhr im Schleichtempo zum Bahnhofs-Gebäude, wo er schnaufend zum Stehen kam.
Karl Völker aus Lohr neben mir öffnete die Tür und wollte gerade hinuntergehen, als er plötzlich auf dem Trittbrett stehen blieb. Da standen seine Eltern und schlossen ihn in ihre Arme. Wie konnte das sein, wo doch die Fahrtroute geheim war?

Lohr a. Main. Ölgemälde von Prof. Hermann Gradl

Eine Minute später war das Familienglück wieder vorbei. Der Zug rollte an; Völker hatte gerade noch Zeit, ein paar Karten und Briefe seinen Eltern zuzuwerfen, dann ging es schon wieder weiter.
Als wir um 12 Uhr in Würzburg ankamen, hatten wir einen längeren Aufenthalt. Plötzlich schallte es durch den Lautsprecher: „Völker,

zum Hauptmann!“ Ich war ganz gespannt und heftete mich an seine Fersen.
Der Hauptmann raunzte Völker an: „Sie haben in Lohr den Zug anhalten lassen!“ „Nein Herr Hauptmann!“ „Freilich waren Sie es, denn wie kommt es, dass der Zug in Lohr hielt?“ „Ich weiß von nichts“, meinte Völker lapidar. Und dann geschah etwas ganz Ungewöhnliches für die damalige Zeit. Der Hauptmann zeigte offensichtlich Herz und sagte nur: „Hauen Sie ab!“, drehte sich rum und grinste. Da merkte ich, dass ihm der Vorfall nicht so ernst war, wie es offiziell den Anschein haben sollte.
Schon bald ging die Fahrt weiter und als der Silvestertag zu Ende ging, fuhren wir in Regensburg ein und am Neujahrstag weiter gegen Osten.
Alle Jahre an Silvester gegen die Mittagszeit denke ich an diesen mysteriösen Zugstopp in Lohr zurück, als ein Hauptmann ein Einsehen hatte mit dem großen Heimweh eines einzelnen Soldaten.
Nach dem Krieg bin ich Karl Völker noch einmal begegnet. Aber eine Aufklärung, warum der Zug plötzlich hielt und er seine Eltern wenigstens für ein Minute herzlich drücken durfte, habe ich nicht bekommen.

„Ich möcht' noch einmal ein Läutbub sein!"

von Andreas Götzelmann aus Oberaltertheim

Zu den vielen Dingen und Gebräuchen, die durch die Neuzeit und die moderne Technik nur noch in stark veränderter Weise existieren oder auch ganz verschwunden sind, zählt auch die Tätigkeit als Läutbub. Zu meiner Kindheit wurden stets die sechs ältesten Buben des letzten Volksschul-Jahrganges zu diesem auf ein Jahr befristeten Dienst herangezogen.

Die Aufgaben der Läutbuben bestanden in folgenden Verrichtungen: das Läuten zu den Gottesdiensten und zu besonderen Anlässen, bei denen die Glocken erklingen sollten; das Aufstecken der Lied-Nummern, die bei den Gottesdiensten gesungen werden sollten; Hilfsdienste für den Pfarrer usw.

Die Oberaltertheimer Pfarrkirche, in der Andreas Götzelmann als 14-jähriger ein Jahr seinen Dienst als Läutbub verrichtete

1940/41 an der Reihe

Unsere »Dienstzeit« fiel in die Jahre 1940/41. Da wir aber nur drei Knaben im letzten Schuljahr waren, wurden wir durch die drei ältesten des Folgejahrganges auf die erforderliche Zahl von sechs aufgestockt. Bei dieser Mannschaft war natürlich alles geregelt und jeder hatte seine festen Aufgaben. So mussten am Sonntag immer zwei Buben das zweite Läuten eine halbe Stunde vor dem Gottesdienst (das sogenannte »Annertläuten«) mit nur einer Glocke vornehmen.

Das Aufstecken der Lieder geschah so, dass der Älteste, der auch der Boss der Mannschaft war, die Nummern vorlas, die vier Jüngsten die Nummerntafel auf die Liedertafel aufsteckten, die dann der Zweitälteste kontrollierte. Mit der Zeit erlangten wir mit den Arbeiten vor dem Gottesdienst so eine Routine, dass wir bis zum Hauptläuten noch eine gute Viertelstunde Zeit hatten.

Keine Langeweile!

Langeweile kam auf und wir begannen Nachlaufen oder Fangen zu spielen. Das spielte sich jedesmal folgendermaßen ab: die Stiege zur Empore wurde hoch gelaufen, dann längs durch die Bänke der jungen Männer, dann über die Brüstung raus auf ein 30-40 cm breites Sims, das in vier bis fünf Meter Höhe von den Bänken der Männer bis zur Kanzel führte. Das Sims war etwa zehn Meter lang und völlig ungesichert. Auf diesem Sims konnte man sich nur, wegen der geringen Breite, mit dem Rücken zur Wand und kerzengerade aufgerichtet, vorwärts bewegen. Sobald man die Kanzel erreicht hatte, ging es auf der Gegenseite derselben wieder raus auf das Sims und weiter zurück zur Empore zu den Plätzen der alten Männer. Dieses Nachlaufen war also eine nicht ganz ungefährliche Angelegenheit!

Ich war der Verfolgte

Eines Sonntags frönten wir wieder diesem Spiel, bei dem ich der

Verfolgte war. Ich hatte gerade die Kanzel verlassen und bewegte mich in der angegebenen Weise den Bänken der Männer zu, als der Erwin von unten laut rief: „Andres rääää...". Er brach mitten im Satz ab. Sicher wollte er mir „rääää = renne" zurufen. Die Ursache seines Verstummens war, dass der Pfarrer durch den Turm in die Kirche gekommen war und sah, was wir da trieben.

Ich blieb wie versteinert stehen, sah links von mir aus den Augenwinkeln den Helmut stehen und rechts den Werner auf der Kanzel sitzen, der ein Bein außerhalb und das andere innerhalb derselben hatte.

Donnerwetter erwartet

Für uns war diese Lage an und für sich nichts Besonderes und wir erwarteten ein gewaltiges Donnerwetter. Der Pfarrer dachte aber sicher an die Folgen, wenn einer von uns abstürzen würde. Er faltete die Hände und betete für uns: „Lieber Gott im Himmel, hilf, dass diese armen Jungen nicht von da oben herunter fallen", um dann fortzufahren „so und nun versucht mit Gottes Hilfe die Kanzel wieder zu erreichen!"

Das gelang uns auch unversehrt und wir trabten schuldbewusst über die Turmtreppe dem Pfarrer entgegen, einer Strafpredigt nunmehr gewiss. Doch der Pfarrer hatte ein Herz für seine Läutbuben, wir mussten ihm nur versprechen, dass wir das »nie, wirklich nie wieder« tun würden.

Für ein paar Pfennige

Läutbub zu sein, war damals schon etwas Besonderes. Wir erhielten auch eine Entlohnung für unsere Tätigkeit. Läuten bei Taufen oder Beerdigungen jeweils 20 Pfennig pro Mann. Bei Hochzeiten gab es zwei Möglichkeiten, entweder die ganze Gruppe drei „Glummbaplaatz" (Käsekuchen) und drei Liter Wein oder pro Mann 50 Pfennig.

Da zu unserer Zeit 1940/41 schon Krieg war, hatten wir nur eine Hochzeit. Die Lebensmittel waren rationiert, so wurden wir in bar entlohnt. Aber statt 50 Pfennigen gab der Bräutigam, es war der Beckemichels Martin, jedem von uns eine Reichsmark, also doppelte Tax. Wie reich zogen wir vom Hochzeitshaus!

Alte Glocke in einer Kirche

Heute, nach 60 Jahren, denke ich noch gerne an den Martin, der so großzügig war, obwohl er schon lange nicht mehr lebt.

Scharf auf den Verdienst

Trotz der niedrigen Sätze, oder gerade deswegen, waren wir aber scharf auf den Verdienst. Sterbefälle standen außerhalb unseres Einflusses, Hochzeiten gab es auch keine, aber bei den Taufen konnten wir Vorausberechnungen anstellen. Obwohl erst 14 Jahre alt, wussten wir doch schon, dass die kleinen Kinder nicht vom Storch gebracht werden. Um nun festzustellen, ob wohl noch Taufen in unsere »Amtszeit« fallen würden, wurde am Sonntag beim Kirchläuten einer an dem Turmfenster abgestellt, der die Frauen, besonders die jüngeren, beobachten musste, ob für uns noch die Chance einer Taufe gegeben wäre. Die anderen Fünf hingen derweil an den Glockensträngen. Nach dem Läuten gab der Aufpasser oft die Nachricht: „a paar känna mr no gagrie“.

Die 1. Mädchenbank

Ein beliebtes Ziel unseres jugendlichen Übermutes war auch die 1. Mädchenbank der schon konfirmierten Mädchen. Diese Mädchen waren also ein Jahr älter als wir. Diese Bank war an ihrem Ende mit einem Eisendorn im Holzboden verankert. Die Bank wurde nun so hoch gezogen, dass der Dorn spitz auf dem Boden stand. Da kamen sie dann, die Jungfrauen, mit züchtigem zu Boden gesenktem Blick verrichteten sie ihr Gebet, um sich dann brav zu setzen. »Rums« machte die Bank und fiel in ihre normale Lage zurück. Eine der Jungfrauen hingegen fiel aus allen Wolken und erschrak so sehr, dass sie einen Schreckensschrei ausstieß. Dieser brachte ihr strafende Blicke ihrer älteren Geschlechtsgenossinnen ein, die von der Bankfalle keine Ahnung hatten und daher am Anstand der Armen zweifelten. Wir, die wir hinter dem Altar schon gelauert hatten, waren natürlich schadenfroh und fragten auch noch scheinheilig, warum sie heute so geschrien hätte.

Eine schöne Zeit!

Ach ja, lange könnte man noch über die Taten bzw. Untaten der Läutbuben berichten. Es war eine schöne, unbeschwerte Jugendzeit und ich möchte in Abwandlung eines Liedes von Willy Reichert schließen »I möchte noch einmal ein Läutbub’ sein«.

Die Naphthalin-Plätzchen

von Elisabeth Lutz aus Triefenstein

Ein guter Freund unserer Familie erzählte uns folgende Geschichte: Er stammte aus einer kinderreichen Familie. Um die Weihnachtszeit hat seine Mutter Plätzchen gebacken. Die wurden allerdings ganz schnell weggeschlossen, denn vor Heilig Abend gab es nichts.

Plätzchendose

In der Nachbarschaft wohnte eine alte Frau, welche die Kinder nur »die Tant« nannten. Diese »Tant« hatte keine Kinder, war allerdings sehr kinderlieb. Sie konnte nicht mit ansehen, wie wir uns nach den Plätzchen sehnten. Also, sie hat Plätzchen gebacken und in einer Pappschachtel in ihrem Kleiderschrank aufbewahrt.

Damit sich allerdings in dem Kleiderschrank keine Motten halten konnten, hatte sie Mottenkugeln oder besser gesagt, Naphthalin-Säckchen hineingelegt.

Süße Plätzchen verschönern die Weihnachtszeit

So etwa zwei Wochen vor Heilig Abend hat sie uns dann in ihr Häuschen gerufen: „So Kinder“, sagte sie, „weil ihr daheim noch keine Plätzchen bekommt, habe ich vom Christkind heute ein paar für euch bekommen.“ Unsere Herzen klopften vor Freude ganz schnell. Dann holte sie die Pappschachtel und stellte sie auf den Tisch. „Kinder nehmt“, sagte sie. Wir stürzten uns auf die Plätzchen. Aber schon als wir den Plätzchen näher kamen, stieg uns ein komischer Geruch in die Nase. Trotzdem bissen wir gleich in ein Plätzchen. Der Bissen blieb uns im Halse stecken. Die Plätzchen schmeckten so nach Mottenpulver oder besser gesagt nach Naphthalin. Also wir konnten sie nicht essen. Die »Tant« hat sich gewundert, warum wir nicht kräftig zulangten. Wir haben es ihr nicht gesagt.

Schwarze und weiße Kindheitserinnerungen

von Winfried Arnold aus Lohr/Heusenstamm

Als Jahrgang 1946 habe ich die eigentlichen Kriegswirren nicht miterlebt, aber Auswirkungen, die mir zum damaligen Zeitpunkt natürlich nicht bewusst waren, konnte ich mit kindlichen Augen bestaunen.

Die Lohrtorstraße in Lohr a. Main

Meine ersten sieben Lebensjahre wohnte ich mit meinen Eltern in der Lohrer Innenstadt. Aus dem Fenster des 1. Stocks in der Lohrtorstraße hatte man einen herrlichen Blick über das Treiben auf der Gasse. Eine Fußgängerzone war damals ein Fremdwort. Autos schepperten und Motorräder knatterten über das holprige Kopfsteinpflaster. Der Motorenlärm wurde jedoch öfters durch ohrenbetäubendes Dröhnen unterbrochen. Selbst bei geschlossenen Fenstern hörte man das Rasseln von Ketten.

Als Steppke von etwa drei Jahren durfte ich damals unter Aufsicht von Erwachsenen aus dem offenen Fenster die lärmenden Ungetüme näher beäugen. Riesige Eisenbrocken, angetrieben von Metallkettenbändern, schoben sich ratternd die Lohrtorstraße hoch. Lange Rohre zeigten, bedrohlich halb hoch nach vorne gerichtet, in die Fahrtrichtung. Die Kolosse zwängten sich Ruß speiend durch die enge Straße. Dort, wo die Lohrtorstraße am »Maulaffeneck« durch eine Biegung in die Turmstraße übergeht, kam es fast immer zu einem Stau. Ein Stop löste eine Kettenreaktion an Quietschen und Schleifen je Koloss aus. Die Ketten zeichneten dann ihre Spuren in den harten Stein des Kopfsteinpflasters oder rissen gelegentlich Stücke vom Bürgersteig ab. Im Gegensatz zu den Erwachsenen empfand ich das Dargebotene als beeindruckendes Schauspiel.

Dieser Eindruck wurde noch verstärkt, als beim zweiten oder dritten Stop ein Panzer genau vor unserem Fenster hielt. Als es diesmal gar nicht weiter gehen wollte, öffnete sich vor meinen Augen eine dicke Eisenplatte an der Kuppel des gewaltigen Monsters. Aus dem Dunkel des Innern entstieg eine schwarze Gestalt und grinste mich mit weißen Zähnen an. Mein verwunderter Gesichtsausdruck löste bei dem Unbekannten ein herzhaftes Lachen aus. Er rief etwas zu mir herauf was ich überhaupt nicht verstand.

Als die Kolonne immer noch keine Anstalten machte weiter zu fahren, bückte sich das »fremde schwarze Wesen«in seine Luke, rief etwas und richtete sich anschließend ganz auf. »Es« streckte seine Faust nach mir aus. Ich zögerte zunächst, ihm meine Hand entgegen zu strecken. Aber eine schützende Hand hinter mir ergriff meinen Arm und beugte ihn aus dem Fenster. Als meine kleinen weißen Finger die kräftige schwarze Faust erreicht hatten, erschienen plötzlich wie von Zauberhand Gegenstände in der hellbraunen Handfläche. Diese Gegenstände wechselten von der großen in die kleine Hand. Die schwarzen Finger schlossen die meinen um die Habseligkeiten. Während ich meine gefüllte kleine Faust zurückzog, setzte sich die Kolonne wieder in Bewegung. Bevor die schwarze Gestalt verschwand, winkte sie noch lachend und schloss dann die Luke. Als der Spuk vorbei war, begutachtete ich das Erhaltene. Es waren Süßigkeiten, Schokolade und Kaugummis. Sachen, die ich bisher nicht gekannt hatte. Aber das ging anscheinend nicht nur mir so. Auch die Erwachsenen standen anschließend kauend um mich herum und schoben die Gummimasse mit unterschiedlichen Gesichtsausdrücken und Kommentaren von einer Backenseite in die andere. Nach diesem Erlebnis hing ich natürlich bei jedem Dröhnen und Rasseln der vorbeifahrenden Panzer am Fenster. Leider hat es nicht immer mit einem Stop an der richtigen Stelle und mit einem freundlichen »Besatzer« geklappt.

Abwechslung anderer Art brachten damals auch übergroße Zeitgenossen in das tägliche Einerlei. Stelzenmänner trieben nicht nur an Fasching ihr Unwesen. Sie gingen als Werbeträger durch die Lohrer Straßen und verteilten Zettel oder machten auf Veranstaltungen aufmerksam. Im Erdgeschoss sah man nur ihre Beine im Fensterrahmen und im ersten Stock ihre Handflächen auf dem Fenstersims.

Eine andere, weniger erfreuliche Erinnerung bewegt mich sogar noch heute, wenn ich daran denke. Der Tod und das Vergängliche waren für mich als Lausbub kein Begriff. Um so seltsamer berührte mich ein schwarz eingesäumter Pferdewagen, der von umhüllten Pferden gezogen wurde. Auf dem Kutschbock saß ein schwarz gekleideter Mann. Dieses unheimliche Gefährt tauchte zu nicht einzu-

ordnenden Zeiten in den Straßen auf und verschwand spurlos. Meine Fragen wurden entweder ausweichend oder für mich damals noch nicht begreifbar beantwortet. Erst viel später, als ich bei einem Spaziergang mit meiner Mutter dieses Pferdegespann auf dem Friedhof entdeckte, begann ich langsam die Zusammenhänge zu verstehen.
Neben der Abwechslung durch andere, sorgte ich als Lausbub im Winter selbst für Aufregung. Bei einem ergiebigen Schneefall, was damals nach meinen Erinnerungen noch öfter der Fall war als heute, schlich ich mich auf die Straße, formte ein paar Schneebälle und nahm diese mit in den ersten Stock. Dort öffnete ich leise in einem unbeobachteten Raum das Fenster und bewarf die Schirme, unter denen die Erwachsenen hastig dahin eilten. Bevor ein Schirm sich zur Seite neigte, um nach dem Werfer Ausschau zu halten, war ich vom Fenster bereits verschwunden. Leider waren diese Aktionen in der Regel nur von kurzer Dauer, weil meistens ein Nachbar auf der anderen Seite mein Treiben bemerkte und meine Eltern informierte. Über die Strafpredigt möchte ich mich hier nicht auslassen. Aber so war es halt damals, mit etwas musste man sich die Zeit vertreiben, ohne Lego, Playstation und Fernsehen.

Geboren bin ich mitten in der Heuernte

von Elisabeth Bangert aus Flörsbachtal-Lohrhaupten

Die Heuernte war für mich die schwerste Zeit im Jahr. Mein Vater ist morgens schon früh zum Mähen auf die Wiese. Die Mutter hatte das Vieh zu füttern, die Kühe zu melken, und die Kinder mussten in die Schule.

Ansichtskarte von Lohrhaupten

Manchmal musste ich als Kind vor der Schule erst meinem Vater den Kaffee auf die Wiese bringen.

Für den Handelsbetrieb war unsere Landwirtschaft damals schon zu groß, ca. 7 - 8 Hektar. Großeltern waren keine mehr da. Ich war die Älteste von 3 Kindern. Mein Bruder war 5 Jahre und die Schwester 9 Jahre jünger.

Mit 3 Jahren bin ich allein auf die Wiese, wo meine Eltern Heu machten. Unterwegs bin ich in einen Graben gefallen und konnte nicht mehr raus, habe natürlich geweint. Jemand kam vorbei und dachte: „Da weint doch irgendwo ein Kind“. Er hat mich dann im Graben gefunden und zu meinen Eltern gebracht.

Jedes Jahr im Frühjahr ist mein Vater mit dem Kuhwagen nach Partenstein an den Bahnhof gefahren und hat dort Kunstdünger (Kali, Thomasmehl, Kainit) geholt, das war eine Tagesarbeit. Ich kam von der Schule heim, da sagte meine Mutter: „Du sollst eine Kuh an den Weiher an der Ziegelhütte bringen!“ Ich habe dieser Kuh, sie hieß Bless, die Maulkette angezogen und einen Strick dran, so sind wir dann losgetrottelt. Die Bless ist dann vor die beiden anderen Kühe an die Deichsel gespannt worden, damit sie das Fuhrwerk ziehen hilft. Von da an ging’s bergauf.

Meine Mutter war eine sparsame Frau, sie konnte aus allem etwas machen. Geld hatte sie nicht viel, dies wurde gebraucht, um Stallungen und Scheune zu bauen. Im Winter hat sie das Heuernte-Kleid gemacht und die Werktagshemden für den Vater. Selbst die Schultasche für mich, als ich in die Schule kam, nähte sie selbst aus Leinenstoff und stickte die Initialen L.D. darauf.

Für mich hat sie mal ein Kleid aus einem weißen leinenen Betttuch gemacht, ohne Ärmel und rot bestickt.

Im Jahr 1931, damals war ich 11 Jahre, ist im Gelnhäusertal die Wasserleitung eingeweiht worden, die Zufahrtsstraße war neu (geteert). Viele Leute waren dabei, der Bürgermeister hat gesprochen. Wir Kinder setzten uns an den Wegesrand. Ich hatte mein neues weißes Kleid an. Mit Erschrecken stellte ich fest, dass ich mich in den frischen Teer gesetzt hatte.

Als das meine Mutter sah, hat sie geweint: „Der Fleck geht nie mehr raus!“ Aber sie wusste auch in dieser Situation eine Lösung. Sie hat das Kleid blau gefärbt. So konnte ich es auch weiterhin anziehen. So war das damals bei uns zu Hause in Lohrhaupten.

Anekdoten aus dem Wiesthal meiner Kindheit

von Christa Bormann aus Wiesthal/Hösbach

Ich erinnere mich an viele kleine Anekdoten aus meiner Kindheit in Wiesthal. Beispielsweise an die Geschichte mit der Namensgleichheit meines Bruders mit dem Pfarrer Karl Krebs, der von 1938 - 1969 in Wiesthal seelsorgerisch tätig war.

Ansichtskarte von Wiesthal

Als Kind war Kirchbesuch Pflicht. Sonntags gingen wir zur Frühmesse, nachmittags war auch noch einmal Gottesdienst angesagt und zuvor war für die Schulentlassenen »Christenlehre«. Mein Bruder gehörte damals nicht gerade zu den bravsten und ruhigsten Buben. Eines Tages, es muss mal wieder etwas lauter in den Reihen der Buben zugegangen sein, rief der Pfarrer zu meinem Bruder ermahnend von der Kanzel: „Wie heißt Du?“ Mein Bruder zuckte zusammen und antwortete etwas kleinlaut: „Karl Krebs, Herr Pfarrer.“ Und da der Herr Hochwürden den selben Namen hatte wie der Gescholtene, fing alles zu lachen an. Auch Pfarrer Karl Krebs konnte ein Schmunzeln nicht unterdrücken.

Meine drei Brüder und ich waren viel bei unserem Opa und der Tante in Wiesthal. Opa, die Tante und unsere Mutter sind in Esselbach geboren. Weil meine Oma, das erzählte mir mal meine Mutter, viel Heimweh hatte, zogen sie wieder nach Wiesthal. Oma starb 1920. Und Opa, der nicht wieder heiratete, bewirtschaftete seine kleine Landwirtschaft ganz alleine weiter. Jede Ferien waren wir da. Freizeiten oder Urlaub, so etwas gab es damals für Kinder noch nicht.

Mein Vater war Spätheimkehrer, so war mein ältester Bruder ein paar Jahre (während des Krieges) ganz in Wiesthal. Der Dialekt, der da gesprochen wurde, gefiel uns Kindern sehr gut. Z.B. sagte unser Nachbar Ludwig mal zu uns: „Wir gehen in die Schnorrgener.“ Da dachte ich, der will mit uns Vögel fangen. Denkste! Mit diesem Wort hatte er nur eine schöne Brombeerhecke gemeint. Oder: »Nehrt un innignehrt« war »gestern und vorgestern«. Wenn Opa unseren Vater vorstellte, sagte er mein »Tochtermo« (Schwiegersohn).

In jedem Nachbarhaus waren wir damals daheim, überall konnten wir, wenn wir wollten, mitessen, Pfannkuchen und ähnliches. Fleisch, wie es heute fast jeden Tag auf den Tisch kommt, blieb die allergrößte Ausnahme.

Heiß geliebt haben wir Tantes »Blitzkeil«. Das waren wohl Kartoffelklöße mit Rohmasse. Da läuft mir heute noch das Wasser im Mund zusammen. In der kälteren Jahreszeit gingen wir abends mit unserer Tante zu den Nachbarn. Tante nahm ihr Spinnrad mit, während

wir unsere Zeit mit Spielen wie Dame und Mühle verbrachten, mit Steinen, die aus Knöpfen bestanden.
Opa hatte nur Apfelwein und Mineralwasser zu Hause. Apfelwein durften wir Kinder nicht trinken, aber das Mineralwasser, das haben wir getrunken und mit Leitungswasser wieder aufgefüllt, Opa wollte dann immer reklamieren ...
Mein jüngster Bruder war auch ein paar Jahre ganz bei Opa und Tante. Aber obgleich er seit 40 Jahren bei München lebt, spricht er den Wiesthaler Dialekt perfekt. Sechs bis acht mal im Jahr zieht es ihn nach Wiesthal, so verwurzelt ist er mit dem Dorf und seinen Bewohnern. An Fasnacht war er zuletzt da und hat beim Faschingszug mitgemacht. Auch unsere Tochter mit Familie war mit von der Partie.
Mein Mann und meine Brüder haben Opas Häuschen erhalten, das Fachwerk wieder freigelegt. Wir freuen uns immer, wenn wir uns hier treffen, sonst sind wir in Daschberg, Schweinfurt, Hösbach und München daheim. Wenn mein Mann und ich nicht die Enkel hüten, sind wir in Wiesthal. Da draußen ist eine himmlische Ruhe. In Hösbach haben wir Auto- und Eisenbahnlärm. Hoffentlich können wir das noch ein paar Jährchen genießen.

Aller Anfang ist schwer

von Alide Diehm aus Remlingen

Ich kam 1945 mit meiner Familie aus Holland nach Deutschland. Und wie es der Zufall wollte, führte uns der Weg nach Remlingen, wo ich heute noch lebe.
Als Holländerin liebte ich die Landwirtschaft von Anfang an und so fand ich bei einem Bauern auch gleich eine kleine Anstellung. Ich erinnere mich noch lebhaft an jene Zeit, vor allem an die mangelhafte sanitäre Situation, kein Einzelfall, damals eher die Regel: Eine Toilette, wie wir sie heute kennen, gab es noch nicht - das Klo war damals auf dem Misthaufen.
Auch besaß die Familie nur einen Wasseranschluss, der war in der Küche. Alle Bewohner, ebenso die Flüchtlinge, die auf dem Bauernhof als Helfer gute Dienste leisteten, mussten diesen benutzen.
Das Wasser für die Wäsche wurde noch auf dem Herd erwärmt, eine Waschmaschine gab es noch nicht. Die wollene Wäsche, z.B. die Socken, musste ich noch per Hand mit der Bürste sauber bürsten. Vorher wurde Asche in die Waschbrühe geschüttet, um das Wasser weicher zu machen; damals gab es noch kein »Henko«.
Apropos putzen: Nicht nur die Wäsche gehörte zu meinen Aufgaben, ich musste auch ein Pferd und einen Ochsen sauber halten und regelmäßig auf den Acker führen. Arbeit war letzteres vielleicht nicht, denn der Umgang mit Tieren machte mir sehr viel Spaß.
Mein Vater, ein promovierter Jurist, musste auch hart zulangen. Er wurde beim Holz hacken eingesetzt oder musste mit einem Karscht bei der Kartoffelernte helfen (dafür bekam er auch Kartoffeln oder auch mal Kuchen als Extra-Zugabe zugesteckt).
Unsere Situation besserte sich ein wenig ab dem Zeitpunkt, als Va-

ter von seinem Schwiegervater regelmäßig mit der Post Samen und Gewürze aus Holland geschickt bekam. Mit dem Fahrrad oft bis spät in der Nacht auf Achse, war er als »Fliegender Händler« in Remlingen und den umliegenden Dörfern unterwegs, das brachte uns wenigstens ein bisschen Gewinn ein.

Blick auf den Marktplatz von Remlingen in früherer Zeit

Erst wohnten meine Eltern zusammen mit anderen Flüchtlingen in der alten Schule, später konnten sie eine eigene, kleine Wohnung beziehen. Geld war zu jener Zeit eine große Mangelware. Mit Nachhilfeunterricht in Englisch und Mathematik, den meine Mutter an mehrere Kinder aus dem Dorf erteilte, besserte sie die Haushaltskasse ein wenig auf. Die Bezahlung erfolgte anfangs noch in Naturalien, in Milch oder anderen Lebensmitteln.

Als ich meinen Nachbarn heiratete, half uns Vater in der Landwirtschaft immer noch aus, z.B. beim Rechen und Aufladen des Heus.

Mein Bruder wollte als Gymnasiast im Gegensatz zu mir nichts von der Landwirtschaft wissen. Er spielte in seiner Freizeit lieber Blockflöte oder Ziehharmonika.

Alte Ansichtskarte - Blick auf Remlingen

Lebhaft erinnere ich mich noch an die Remlinger Spinnstube. Leider gibt es sie nicht mehr. Heutzutage sitzt jeder für sich alleine vor dem Fernseher. So wie es einmal war, das lustige Miteinander, es ist nicht mehr ...

Wie wir früher nach Maria Buchen wallfahrten!

von Rosi Laschtufka aus Neuhütten

Unser Wohnort hatte noch nie einen Bahnhof, auch ging der Bus nach Lohr nur werktags. Aber bei uns im Dorf war es so der Brauch, dass man an Maria Himmelfahrt wallen ging.

Wallfahrtsort Maria Buchen

Wir Kinder haben uns auf diesen Feiertag immer recht gefreut. Wir mussten an diesem Tag stets früh aus den Federn, um an den Bahnhof Wiesthal zu kommen. Der war von Neuhütten ungefähr 3,5 Kilometer entfernt!
Um den Weg abzukürzen, sind wir immer über den Berg (Höh') zum Bahnhof marschiert. Der Zug ging ungefähr um 7.30 Uhr nach Lohr.

In Lohr angekommen, hatten wir noch einmal einen langen Fußmarsch vor uns; bis Maria Buchen (über Sendelbach) waren es nochmal 3 - 4 km. Weil mit uns gleich mehrere Kinder dabei waren, hatten wir unterwegs immer viel Spaß! So schauten wir uns die Lohrer Schaufenster im Vorbeigehen an, und so manches Weihnachtsgeschenk haben wir uns da ausgesucht.

Wir durften aber nicht so lange trödeln, denn um 9.30 Uhr fing der Gottesdienst in Maria Buchen an. Und den durften wir auf keinen Fall versäumen! Da mussten wir stets brav sein und nicht miteinander schwätzen!

Wenn die Kirche aus war, ging es dann zum gemütlichen Teil über. Da konnten wir uns die Stände auf dem Kirchplatz ansehen. Oh, wie da unsere Augen leuchteten! Wir durften uns dann jedesmal ein Heiligenbildchen oder ein Kettchen aussuchen, das wir dann auch gleich umhängten.

Inzwischen war es Mittag geworden, und wir hatten schon mächtig Kohldampf, weil wir ja schon so zeitig gefrühstückt hatten - und die frische Luft tat ihr Übriges! Entweder gingen wir ins Klosterstübchen oder in die andere Wirtschaft oberhalb der Kirche, die heute noch geöffnet ist. Auch war die »Buchenmühle« noch da. Da wurde schon von außen die Speisekarte studiert, und wir wussten auch schon was wir essen wollten!

Die Wirtschaften waren immer ganz schön voll von den vielen Wallfahrern, so musste man immer schnell sein nach der Kirche, um noch einen Platz zu ergattern.

Aber es war immer ein Erlebnis, am Sonntag außerhalb zu essen.

Nach dem Mittagessen machten wir uns wieder auf den Weg nach Lohr.

Wir Kinder hatten es dann immer besonders eilig und sprangen schon voraus, denn wir machten einen Abstecher auf die

Festwoche, die immer in der Woche an Maria Himmelfahrt war. Da durften wir dann einmal Schiffsschaukel oder Karussell fahren.

Lohr a. Main auf einer alten Ansichtskarte

Nicht mehr, denn das Geld saß nicht so locker wie heute. Da gab es viel zu bestaunen und zu sehen. Die Zeit verging immer viel zu schnell, und wir mussten ja wieder zum Bahnhof, um nach Hause zu fahren. Auch hatten wir den Fußmarsch vom Wiesthaler Bahnhof nach Neuhütten noch vor uns. Zum Abschluss der Wallfahrt bekamen wir auf der Festwoche noch eine Bratwurst. Auch durften wir uns ein Lebkuchenherz mit einem schönen Spruch aussuchen! Dieses trugen wir dann stolz um den Hals und haben es als Erinnerung noch lange aufbewahrt. Zufrieden und glücklich kamen wir dann abends wieder heim. Müde gingen wir dann auch früh schlafen, denn es war ein aufregender Tag - das Wallfahren gehen!

Auf Urlaub bei Oma Isabella in Gambach

von Manuela Weißenberger aus Eußenheim

Während der Sommerferien durfte ich immer einige Wochen bei meiner Oma Isabella in Gambach verbringen. In ihrem Heimatdorf wurde sie nur »Isawella« genannt und war für ihren »Maateplootz« berühmt.
Bei ihr verbrachte ich, und meist eine meiner Cousinen, eine schöne Zeit. Bloß an unseren ersten Ferientag, den wir bei ihr verbrachten, denke ich mit Schaudern zurück. Da wurden nämlich die alten Kartoffeln aus dem Keller geholt, die wir »abpflücken« mussten. Meist liefen uns dabei einige Kellerasseln und kleine Spinnen über die Hände.

Spielplatz »Scheune« - Gefährlich, aber schön!

Aber dafür war es an den nächsten Tagen um so schöner. Wir durften in der Scheune spielen. Dort sprangen wir vom Heuboden runter auf die Strohballen. Das konnte auch gefährlich sein, denn oft lagen drei Ballen übereinander. Einmal geriet die Brigitte Kloewich in einen Spalt und wir dachten schon, sie müsse ersticken. Mit vereinten Kräften gelang es uns jedoch, sie herauszuziehen.
Nach diesem Ereignis mieden wir dann einige Tage die Scheune und verbrachten unsere Zeit im Schuppen, in dem viel altes Gerümpel lag. Auch eine Schaukel war dort. Die Sitzfläche war aus einem Kuhgespann. Da das eine Seil länger war als das andere, konnte man nie gerade schaukeln. Aber all das störte uns nicht.
Am Abend sang uns Oma Lieder vor. Meistens waren diese lustig, aber manchmal waren sie so traurig, dass ich weinen musste.

Zum Trost kochte mir Oma dann einen Pudding.
Abends lagen wir dann glücklich oben unterm Dach in unseren Betten. Eine Tapete gab es damals nicht. So waren die Wände nur hell getüncht und grüne Blätter darauf gedruckt.

Ansichtskarte von Gambach

An manchen Stellen blätterte die Farbe ab und da konnte man ein blaues Muster erkennen.
Eine Nachttischlampe gab es auch nicht. In der Mitte von dem Doppelbett hing eine Schnur herab. An dieser konnte man die Deckenlampe an- bzw. ausschalten. Aber am meisten ist mir der Geruch des Zimmers und der Betten in Erinnerung geblieben. Ein schwerer, etwas süßlicher Geruch, der auf mich beruhigend wirkte.

Glockenschlag & vom Drang auf den Nachtopf

Das Fenster stand die ganze Nacht offen und des öfteren hörten wir noch den Glockenschlag um Mitternacht. Manchmal wachten wir auch mitten in der Nacht auf, weil uns die Blase drückte. Da es im Haus keine Toilette gab, stand für solche Gelegenheiten immer ein

Nachttopf unter dem Bett. Am Morgen wurde dieser für gewöhnlich mit nach unten genommen und in das Plumpsklo geleert. Manchmal waren wir aber zu faul dazu und schütteten unser »Geschäftchen« einfach aus dem Fenster - direkt ins Blumenbeet. Einmal hörten wir Oma zur Nachbarin sagen: „Ich weiß gar nicht, was in diesem Jahr los ist. Die Blumen wollen einfach nicht blühen!"

Alte Ortsansicht von Gambach

Fensterputzen mit Sidolin und Zeitungen

Nachdem wir uns einige Tage ausgetobt hatten, stand wieder Arbeit auf dem Plan. Alle Fenster mussten geputzt werden, natürlich mit Sidolin und Zeitungspapier! Wehe, wir benutzten zu viel Fensterreiniger oder beim Spülen zu viel Spülmittel, da war eine Strafpredigt fällig. Aber ansonsten war Oma immer recht großzügig.
Wenn Oma in den Weinberg ging, hatten wir sozusagen sturmfreie Bude. Da ließen wir öfters die Sau raus, aber im wörtlichen Sinne!

Da wir immer noch selber schlachteten, zog Oma jedes Jahr zwei Ferkel auf. Da kamen wir natürlich auf die Idee, dass die armen Schweine doch auch einmal Auslauf bräuchten! Gesagt - getan. Wir hatten unseren Spaß. Aber nur solange bis wir sie wieder einfangen mussten. Denn das war gar nicht so einfach. Einmal hatte der Zaun ein Loch und dadurch wollte sich natürlich das Schwein aus dem Staub machen.

Wir konnten es gerade noch an den Hinterläufen festhalten. Mit vereinten Kräften zogen wir es wieder herein und mit Klatschen und einem Stock wurden es in den Stall getrieben.

Der Fuchspelz aus Omas Klamottenkiste

Wenn es einmal regnete, hatten wir auch keine Langeweile. Da spielten wir »große Dame«. In Omas Klamottenkiste gab es immer wieder etwas Interessantes zu entdecken. Auch ein Fuchspelz war dabei, den man sich um den Hals legen konnte.

Alles ging vorüber, so auch unsere Sommerferien. Ein wenig traurig ist mir ums Herz, dass meine Oma nicht mehr lebt und ich ihr nie gesagt habe, wie viel mir das alles bedeutet hat. Aber wenn ich mir ihr Gesicht vorstelle, die gütigen Augen, dann glaube ich doch daran, dass sie es wusste, wie glücklich sie uns oft gemacht hat.

Hochzeitsreise Anno Domini 1947

von Hermann Hegel aus Langenprozelten

Am 18. Mai 1947 hatte ich meine Mathilde, geb. Horn, in Langenprozelten geheiratet. Es gab damals noch Lebensmittelmarken und mit der fast wertlosen Reichsmark wenig zu kaufen. Mit Mühe und Not konnten wir unsere kleine Wohnung mit alten Möbeln notdürftig ausstatten. Teller, Bestecke und ein paar gebrauchte Töpfe wurden uns von der Verwandtschaft zur Hochzeit geschenkt.

Mathilde Hegel an der Zugspitzbahn

Trotz dieser Armut wollte ich meiner Mathilde zu ihrem 22. Geburtstag am 18.12. 1947 und zu Weihnachten eine nachträgliche Hochzeitsreise spendieren. Am Kiosk eines Reisebüros am Bahnhofsplatz in Würzburg konnte ich eine Urlaubsreise für zwei Personen für die Zeit von Weihnachten bis Dreikönig erstehen und zwar nach

Oberammergau. Groß war daher die Freude und Überraschung, als ich dieses tolle Geschenk im verschlossenen Kuvert kurz vor Weihnachten meiner jungen Ehefrau überreichte. Das war in der damaligen schlechten Zeit schon etwas ganz Besonderes!

Das Nötigste wurde gepackt, die Lebensmittelkarten in Reisemarken umgetauscht und dann ging es zwei Tage vor Weihnachten mit dem Zug über Würzburg und München nach Murnau. Weil kein Zug mehr am Abend nach Oberammergau fuhr, blieb uns keine Wahl, als im kalten Wartesaal des Bahnhofs die Nacht zu verbringen.

Da ich Nichtraucher war und meine Zigarettenzuteilung natürlich bei mir hatte, konnte ich den Aufsichtsbeamten mit einer Packung Zigaretten überreden, uns wenigstens im geheizten Dienstraum die Zugabfahrt am Morgen erwarten zu lassen.

Nach unserer Ankunft am nächsten Tag in Oberammergau meldeten wir uns in der Pension, die wir gebucht hatten. Doch die Wirtin wollte uns kein gemeinsames Zimmer geben. Weil sie uns nicht glaubte, dass wir verheiratet waren.

Meine Mathilde sah mit ihren 22 Lenzen in ihrem Teenagermäntelchen auch zu hübsch und so jung aus. Mit Mühe und Not konnten wir die Wirtin an Hand unserer damaligen Behelfsausweise oder Kennkarten davon überzeugen, dass wir verheiratet waren und berechtigt, ein Doppelzimmer zu bekommen. Die anderen Gäste, die wir dann kennen lernten, glaubten es uns trotzdem nicht.

Die Hälfte der Pensionszimmer war mit amerikanischen Urlaubern belegt. Die hatten natürlich echten Bohnenkaffee und so zauberte uns die Wirtin zum Frühstück jeden Morgen aus dem Kaffeesatz der Amerikaner eine herrliche vorzügliche Kaffeebrühe, die sogar nach Bohnen schmeckte.

Oberbayern und die Alpen hatten wir noch nie gesehen. Wir wunderten uns über den vielen Schnee und die hohen Berge, besuch-

ten das Festspielhaus für die Passionsspiele und die Umgebung mit den schönen Gebirgsdörfern.
Nach einigen Tagen kannten wir einige Gäste aus dem Haus, darunter auch einen Studenten aus München, der offenbar auch etwas »Schwarzhandel« trieb und unserer Clique zu Silvester einen Christstollen spendierte, den wir mit einer wahren Andacht verzehrten. Ein besonderer Höhepunkt des Urlaubs waren die Gottesdienste in der Oberammergauer Kirche. Schwierig, und heute sicher nicht mehr recht verständlich, war für uns die Sorge, mit den wenigen Lebensmittelkarten ein richtiges Mittag- oder Abendessen aufzutreiben. Doch konnten wir von unserer freundlichen Wirtin immer wieder einmal aus dem »Nachlass« der amerikanischen Gäste ein Zubrot erwischen.
Mindestens zwei- oder dreimal fuhren wir am Abend mit dem Zügle nach Unterammergau. Dort war in einer Gastwirtschaft nicht nur Tanz, sondern es gab auch für 10 Gramm »Fettmarken« ein gutes Essen und zwar »Tiroler Gröstl«. Die waren aus gerösteten Kartoffeln und Blutwurst gemacht und schmeckten unseren hungrigen Mägen besonders gut.
Zum Neujahrs-Ski-Springen am 1. Januar 1948 lotste uns unser Student nach Garmisch-Partenkirchen ins Olympia-Stadion von 1936. Wir stellten uns natürlich auf die besten Plätze, bis ein Ordner kam und uns wegjagte, da diese für die Amerikaner reserviert waren. Zum Beginn des Springens jedoch gingen wir wieder hinauf und taten so, als ob wir zu den Amis gehörten, was uns mit dem Schulenglisch meiner Mathilde und des Studenten auch gelang.
Sepp Weiler, ein Ass unter den damaligen Springern, sprang »Schanzenrekord« mit 65 Metern. Heute ging mit dieser Weite jeder Skispringer unter »ferner liefen!«
Für uns einmalig und großartig war die Eisrevue im Olympia-Eissta-

dion, die wir am Abend besuchten. Die hübschen Kostüme der Eistänzerinnen und der Eisläufer sowie ihre Leistungen waren für uns erstaunlich und eine besondere Überraschung. Wir hatten so etwas ja noch nie gesehen. In der grauen Nachkriegszeit ein kleines Wunder!

Durch seine »guten Beziehungen« besorgte uns unser Student zu Dreikönig Fahrkarten für die Zahnradbahn zur Zugspitze.

Fast unglaublich für uns, aber wir bestiegen tatsächlich in Garmisch oder Grainau den Zug, der schnell an Höhe gewann und durch die Tunnels zum Hotel Schneefernerhaus hinauffuhr.

Auf dem Zugspitzgipfel - rechts Mathilde Hegel

Unterwegs hatten wir einen herrlichen Ausblick auf den Eibsee und das Zugspitzplatt. Die Gasträume im Schneefernerhaus durften wir nicht betreten, weil sie von den Amis beschlagnahmt waren. Nur in der Hotelhalle durften wir uns etwas aufwärmen und dann zur Station der Seilbahn hinübergehen. Wir Flachland- oder Maintaltiroler waren

zum erstenmal in dieser Höhe und trauten der Seilbahn nicht so recht. Bei der Auffahrt zum Zugspitzgipfel setzte sich deshalb meine Mathilde auf den Boden der Gondel und klammerte sich am Mittelpfosten fest. Dabei stieß sie jedesmal, wenn die Bahn über einen der Masten fuhr und sich wieder abwärts senkte, einen langen Seufzer aus zum Gaudium der übrigen Fahrgäste.
Wir kamen trotzdem wohlbehalten zur Bergstation am Münchener Haus und genossen den herrlichen Blick über die Alpengipfel der Umgebung.
Im Gasthaus am Gipfel gab es natürlich kein warmes Essen. Nur einen halben Bismarckhering konnte jeder Gast für 6 Reichsmark erstehen – ohne Lebensmittelmarken! Der Preis entsprach einem Lohn für etwa sechs Stunden Arbeit. Trotzdem waren wir stolz darauf, den höchsten Gipfel der bayerischen Alpen mit dem schönen Gipfelkreuz »erstiegen« zu haben. Wir kamen wieder gut hinunter und waren glücklich über dieses einmalige Erlebnis.
Damals war diese unsere Hochzeitsreise trotz der Schwierigkeiten ein besonderes Ereignis. Sie ist uns in unserer 43-jährigen Ehe immer in lieber Erinnerung geblieben.

Aus meiner Schulzeit

von Paula Ullrich aus Obersfeld

Ich bin am 21. Juni 1921 in Obersfeld geboren. Wie mir mein Vater erzählte, war es ein sehr trockenes und dürres Jahr. Es hat den ganzen Sommer nicht geregnet, deshalb gab es nur eine magere Getreideernte. Das Futter für das Vieh suchten die Frauen auf den Feldern zusammen und trugen es mit dem sogenannten Huckelkorb auf dem Rücken nach Hause. Aus dem Wald wurden Laub und Moos eingefahren zum Einstreuen der Tiere.

Ansichtskarte von Obersfeld

Aus Freude darüber, dass nach drei Buben ein Mädchen geboren wurde, ging mein Vater mit einem Rucksack zu Fuß nach Gauaschach und kaufte in der Bäckerei Schwab 100 gemischte Brötchen ein, für den Festtag meiner Taufe. Das waren Stöllchen, breite und krumme Weck, dazu gab es Kaffee, Butter und Käse. Die krummen Weck waren aus einem mürben Hefeteig hergestellt und waren wie ein Halbmond geformt.

So einen krummen Weck bekam jedes Schulkind von den Angehörigen spendiert, wenn ein wohlhabender Bauer oder eine Person, die ein Gemeindeamt betreute, verstorben war. Nach dem Unterricht mussten wir für den Verstorbenen drei Vaterunser beten.

Im Jahr 1928 wurde ich mit acht Mädchen und sechs Buben eingeschult. In meiner Schulzeit hatten die wenigsten Kinder eine Büchertasche. Wir hatten eine Schiefertafel, daran hing eine Schnur mit einem nassen Schwamm und einem Wischtuch. Auf der Tafel waren die Bücher aufgeschichtet. Obendrauf lag der Griffelkasten und das trockene Pausenbrot.

Freitags hatten wir ein Butterbrot dabei, weil am Donnerstagabend die Butter ausgestampft wurde. Am Freitag wurden die Butter und die Eier an die Schmieds Babett verkauft. Mit diesen Einnahmen wurde der Haushalt finanziert. Die wichtigsten Grundnahrungsmittel wurden im eigenen Betrieb erwirtschaftet, so dass wenig dazu gekauft wurde, deshalb kamen unsere Vorfahren mit diesen Einnahmen gut zurecht.

Am Freitag gab es zum Mittagessen »Zemete«, das ist ein Gericht aus Kartoffelbrei mit Butterschmalz und Zwiebeln, schön kross gebacken; dazu gab es Buttermilch mit vielen Butterflocken obendrauf.

Bei schönem Wetter war unser Spielplatz in der Pause neben dem alten Wohnhaus der Familie Pfeuffer (heute Franz Feeser). Das Küchenfenster war ebenerdig eingebaut, so dass man von der Straße in die Küche sehen konnte. Ich kann mich noch erinnern, dass wir einmal 25 Kartoffelklöße gezählt haben, die für die Großfamilie vorbereitet auf dem Tisch lagen. Durch das offene Fenster konnte man den Braten riechen, der auf dem Herd brutzelte. Dabei bekamen wir manchmal großen Hunger, denn das Pausenbrot wurde oft schon während des Unterrichts verzehrt.

Ansichtskarte der Burgruine Homburg

In der siebten Klasse wurde unser Sportfest zusammen mit den Schülern aus Hundsbach am Hügele ausgetragen. Das ist eine Anhöhe zwischen Obersfeld und Hundsbach. Als Wette war ein Rennen vom Fuße des Hügele bis zur Anhöhe angesetzt. Wer zuerst am Ziel war, bekam einen Preis. Von den Mädchen hatte ich zuerst das Ziel erreicht und bekam als ersten Preis einen großen Ring Fleischwurst. Als ich nach Hause kam, hat meine Mutter einen Salat aus Hörnchenkartoffeln zubereitet, das waren längliche Kartoffeln mit roter Schale, dazu gab es die heiße Fleischwurst, das war ein Freudentag für die ganze Familie.

Unsere Schulausflüge führten nicht ins Ausland, sondern wir gingen zu Fuß zu unserem Ausflugsziel. Das war zur Homburg, ins Lager Hammelburg, nach dem Einsiedel bei Gramschatz und in die Radegundiskapelle nach Müdesheim mit dem Besuch des Hofgutes Ebenroth. Für den Heimweg wurden wir mit einem Pferdegespann abgeholt. An dem Leiterwagen waren frische Buchenäste befestigt, zum Schutz gegen die Sonne. Als Taschengeld hatten wir 50 Pfennig dabei. Dafür bekamen wir eine Wurst mit Brötchen, eine Fruchtlimonade und eine Rolle Drops für unterwegs, um den Durst zu löschen.
Wir sind alle der Heimat treu geblieben. Wir hätten auch gerne einen Beruf erlernt, um den niedrigen Lebensstandard etwas zu verbessern, aber man konnte die Eltern, die auf die Einnahmen der Landwirtschaft angewiesen waren, nicht im Stich lassen. Das vierte Gebot stand an Achtung und Wertschätzung an erster Stelle.
Von unserer Schulklasse sind wir noch zu dritt am Leben. Von den Buben sind vier gefallen und zwei verstorben. Eine Schulkollegin ist schon als junges Mädchen verstorben, zwei Frauen verstarben im Alter von 40 Jahren und zwei mit 65 und 70 Jahren.
Wir hatten keinen Englischunterricht und machten keine Reisen ins Ausland. Trotzdem sind wir alle tüchtige und brauchbare Menschen geworden.

Mama, darf ich wieder Schlitten fahren?

von Margit Makitta aus Marktheidenfeld

Im Erzgebirge, wo ich im Jahre 1934 geboren wurde, waren die Winter lang und hart. Schon Anfang November fiel der erste Schnee. Zu Allerseelen waren die Gräber oft mit einer dicken Schneehaube bedeckt. An der Friedhofsmauer hatte ein altes Weiblein einen Stand mit Grablichtern aufgestellt. Diese waren dann der einzige Schmuck auf den verschneiten Gräbern.

Heißa, Schlitten fahren machte auch schon zu Großväterchens Zeiten Spaß!

Der Winter dauerte bis Ostern, und man konnte die Zutaten für den Osterkuchen bei knirschendem Schnee einkaufen.

Wenn frischer Schnee gefallen war, waren die Gehsteige gestreut, aber nicht mit Salz oder Sägemehl, sondern mit Asche aus den Holz- bzw. Kachelöfen. Das war die übliche, weil billigere Variante. Auf dem Pulverschnee sah die Asche dann aus wie

Staubzucker, garniert mit Kakao. Für uns Kinder war der Winter eine herrliche Jahreszeit!
Außer dem Linienbus fuhren damals noch keine Autos. Der Lebensmittelgroßhändler ließ die Säcke mit Mehl, Zucker usw. mit einem Pferdeschlitten (die Pferde waren mit Glöckchen versehen) zu den Einzelhändlern transportieren. Morgens wurde man deshalb oft durch ein feines Schlittengeklingel geweckt. Sicher dachten dann kleine Kinder, das Christkind sei unterwegs.
Zwischen den Zeiten mit Schneefall und Sonne gab es auch Tauperioden. Dann war alles mit spiegelglattem Eis bedeckt. Wir Kinder gingen nach der Schule nach Hause zum Essen und um evtl. Hausaufgaben zu erledigen. Dann aber ging es schnellstens hinaus in die weiße Pracht. Mehrere Hügel wurden mit Skiern oder Schlitten nacheinander ausprobiert. Wenn es dunkelte, ging es wieder nach Hause. Die Skihosen waren dann bis zu den Knien steifgefroren und mussten am Ofen getrocknet werden, damit sie am nächsten Morgen wieder angezogen werden konnten. Zur Weihnachtszeit blinkten am Abend viele Christbäume in den Fenstern, wenn wir nach Hause gingen.
Eines Tages hatte es getaut, und am Morgen war alles mit Eis bedeckt. Am Nachmittag nahm ich meinen Schlitten und zog los. Unterwegs traf ich ein Nachbarsmädchen aus einer kinderreichen Familie, das keinen Schlitten hatte. Wie üblich lud ich sie zum Mitfahren ein. Wegen des Eises gingen wir zu einem flachen Hügel. Der Auslauf dieser Schlittenbahn führte über eine Brücke, unter der ein Bach floss. Die Brücke war mit einem Holzgeländer gesichert, aber das Bachufer selbst ging ziemlich steil nach unten und war mit großen Felsbrocken besät. Als wir auf der Höhe des Hügels angekommen waren, setzten wir uns auf den Schlitten - meine Mitfahrerin hinter mir. Nun angeschoben und losfahren! Der Schlitten wurde

schließlich immer schneller, was bei der Eisfläche kein Wunder war. Aber da zeigte sich, dass wir immer mehr nach rechts abkamen. Wir versuchten, mit unseren Stiefelchen zu lenken, glitten aber auf dem Eis einfach ab, ohne dass sich eine Wirkung zeigte.
War die Fläche schief oder hatte der Schlitten einen Rechtsdrall, den ich bei Schnee nie bemerkt hatte? Es ging immer weiter und schneller auf das Bachufer zu - ich schloss nur noch die Augen und sah mich schon auf die Felsbrocken knallen. Aber mein Schutzengel fuhr mit. Plötzlich bekam ich einen starken Schlag auf die rechte Gesichtshälfte und der Schlitten stand. Wir waren auf den Geländerpfosten aufgefahren. Meine Gesichtshälfte war taub und aus meiner Nase floss Blut. Meiner Mitfahrerin hinter mir war nichts passiert. Sie zog mich nach Hause.
Ich schluchzte vor mich hin und hinterließ eine Blutspur im Schnee. Meine Mutter schlug die Hände über dem Kopf zusammen, als sie mich sah. Heulend erzählte ich, was passiert war und schimpfte über den dummen Schlitten - nie, nie wieder würde ich Schlitten fahren. Meine Mutter packte mich ins Bett, denn damals ging man wegen solcher »Kleinigkeiten« nicht zum Arzt. Am nächsten Morgen hatte ich ein dick geschwollenes, blaues Auge, das jedem Boxer zur Ehre gereicht hätte.
Von Tag zu Tag wurde es besser, bis es von grün zu gelb gefärbt war.
Da erwachte ich eines morgens und draußen lag herrlicher frischer Pulverschnee. Später kam auch die Sonne zögernd heraus. Mama, Mama, darf ich heute Schlitten fahren gehen? Ich durfte.

Vaters »Sächsle« und das heiß begehrte Motorrad

von Rita Amersbach aus Wolfsmünster/Gambach

Mein Vater fuhr schon Anfang der 40er Jahre ein leichtes »Sachs Motorrad«. Das »Sächsle« brauchte er, um damit unabhängig zur Arbeit zu kommen. Er war ein »Eiseböhner«, also bei der Reichs-, später Bundesbahn beschäftigt. Zu allen unmöglichen Zeiten musste er den Dienst antreten, auch mitten in der Nacht. Meistens fuhren um diese Zeit keine Züge mehr. Um nicht auf die Zugverbindung angewiesen zu sein, schaffte er sich ein kleines Motorrad an. Natürlich brauchte so ein Fahrzeug auch Benzin und das war in den Kriegsjahren Mangelware. Da kam 1945 unserem Vater der abgeworfene Tank eines Jagdbombers gelegen, den meine Brüder fanden. Da sich noch restliches Benzin darin befand, füllte er es in ein leeres Holz-Essigfässchen und lagerte es im Keller. Hier konnte das Benzin aber nicht bleiben, weil wir ja auch Brot backen wollten, das war zu gefährlich! Das Flugzeugkerosin stank so fürchterlich, dass unsere Mutter befürchtete, die Nachbarschaft würde davon Wind bekommen. Ich glaube, man durfte es nicht haben. Sie waren damals sehr aufgeregt und wollten es beseitigen, aber wohin damit? Da Vater keinen besseren Ausweg fand, packte er in der Dunkelheit das Ärgernis auf den Schubkarren und Hubert half ihm, weit außerhalb des Dorfes das Fässchen samt stinkendem Inhalt in die Saale zu werfen. Vater war erleichtert, als es davon schwamm.
Für meine halbwüchsigen Brüder wurde das »Sächsle« zu einem sehr begehrten Objekt. Wenn der Vater nicht zu Hause war und die Mutter es nicht merkte, dann wurde schnell mal mit dem »Sächsle«

hinter die Hofgärten geflitzt. Hier auf der unbefestigten Straße kurvten sie umeinander, dass es nur so staubte. Das war ihnen noch nicht genug.

Werner und das »Sächsle« 1950/51

Eine Sprungschanze musste her, dazu legten sie aufgeschichtete Backsteine in die Straße. Ei, wie machte es ihnen Spaß, im hohen Bogen darüber zu flitzen. Ich aber hatte Bedenken, das »Sächsle« könnte kaputt gehen. Bei all ihrem Übermut merkten sie zu spät, dass der Sprit zu Ende ging. Da sie Schiss vor dem Vater hatten und er nichts merken sollte, schütteten sie etwas Wasser in den Tank. Noch am selben Abend fuhr unser Vater nichts ahnend damit in die Nachtschicht. Etwa hundert Meter nach dem kleinen Brückchen am Wehr gab das Sächsle seinen Geist auf. Wütend und fluchend hatte er es dann heim geschoben. Er war sehr geladen an diesem Abend und die Mutter hatte ihre liebe Not, ihn zu beruhigen. Die Buben aber ließen sich lieber nicht mehr blicken. Entweder ist unser Vater mit dem Fahrrad nach

Gemünden gefahren, welches meistens einen Platten hatte, wenn man es brauchte, so dass er es erst herrichten musste. Oder er besorgte sich von irgendwoher Benzin, ich weiß das nicht mehr so genau.

Es dürfte im Frühjahr 1950 gewesen sein, da ist mein Vater zusammen mit mir auf dem »Sächsle« nach Bad Brückenau gefahren. Er hatte dort einen Arbeitskollegen, den wollte er besuchen. Und ich sollte dessen Tochter, die in meinem Alter war, kennen lernen.

Die Familie wohnte damals in den verlassenen Baracken eines ehemaligen Kriegsgefangenenlagers. Das Wetter meinte es gut an diesem Ausflugstag, nur die Straßen waren in einem schlechten Zustand damals. Mein Vater konnte die Schlaglöcher schlangenlinienförmig umfahren, es war ja kaum Verkehr auf den Straßen. Vor Bad Brückenau ging es serpentinenartig hoch und mein Vater schnitt jede Kurve, nicht nur wegen der Löcher. Er war mehr auf der linken als auf der rechten Straßenseite. Zudem schaute er in der Weltgeschichte herum, so dass mir Angst und Bange wurde. Es hätte uns ja zufällig in der unübersichtlichen Kurve ein Fahrzeug entgegen kommen können. Auf einmal schepperte etwas hinter mir. Ich schaute mich um und bemerkte, dass sich unsere Luftpumpe selbstständig gemacht hatte. Mein Vater hatte nichts bemerkt. Ich rief ihm zu: „Bleib stehn, bleib stehn, wir haben die Luftpumpe verloren!" Er blieb also stehen und ich lief die Straße abwärts und holte sie zurück. Die Halterung war ausgebrochen und ich musste mich mit der Pumpe zusammen an dem Soziusgriff festhalten. Das war gar nicht so einfach mit meinen kleinen Händen, denn sie drohte mir ständig herunter zu fallen bei der holprigen Straße. Ich bin froh gewesen, als wir unser Ziel erreicht hatten. Die nächsten Male sind wir lieber mit dem Zug gefahren. Das »Sächsle« hier auf dem Bild mit Werner hatte schon viele Jahre auf dem Buckel. Daher trug sich mein Vater mit dem Gedanken, ein richtiges schweres Motorrad anzuschaffen. Anfang Mai 1952 sollte sein Traum in Erfüllung gehen. Etwas Geld war da, außerdem war vor einiger Zeit eine Kuh verkauft worden. Eine 250er »BMW« war damals neu auf den Markt gekommen. Von Vaters Idee, eine neues Motorrad zu kaufen, waren meine Brüder alle ganz begeistert. Zu dieser Zeit war unsere Mutter nicht anwesend, sie lag im Krankenhaus. Und wieder einmal bewahrheitete sich der Spruch: »Ist die Katze aus dem Haus, dann sind die Mäuse Herr.« Von seinen Söhnen tatkräftig unterstützt, beschloss unser Vater, die »BMW« zu kaufen.

Werner und Hubert halfen mit, das Geschäft abzuwickeln. Ohne Sozius kostete sie damals vor 50 Jahren 1500 DM, 1800 DM mit Sozius. Das waren etliche Monatslöhne. Nun stand das heiß begehrte Motorrad bei uns im Hof und zog alle Blicke auf sich. Es war das erste Motorrad im Dorf, nur der Herr Kaplan fuhr noch eines. Ich sehe noch heute das Bild vor mir: Es waren gerade die Bitttage vor Christi-Himmelfahrt. Aus etwa fünf umliegenden Filialen kamen die Wallleute zu uns in die Dorfkirche. Nach dem Gottesdienst zerstreuten sich die Menschen etwas im Dorf und in die Gaststätten. Die jungen Burschen und Bauernsöhne schauten in die Höfe und nach den hübschen Mädchen. Beiläufig kamen sie auch an unserem Haus vorbei, vor dem das neue Motorrad stand. Neugierig kamen einige näher. Von nun an wurde die Gruppe der Bewunderer immer größer. Da standen sie und bestaunten das Motorrad, als wäre es das »goldene Kalb« höchst persönlich. Alles wurde genau in Augenschein genommen und diskutiert. Ihre Augen glänzten wie bei kleinen Jungs, die ein begehrtes Spielzeug sehen und jeder hegte wohl den Wunsch, einmal so ein Motorrad zu besitzen.

Nur unsere Mutter, die aus dem Krankenhaus kam, fiel aus allen Wolken. Man hatte ihr nichts gesagt, damit sie sich nicht aufregen

sollte. Sie wäre zu diesem Zeitpunkt sicher noch nicht mit dem Kauf einverstanden gewesen. Da sie unser Finanzminister war, jammerte und schimpfte sie wegen des vielen Geldes. Wusste sie nur zu gut, wo der Schuh noch drückte und wozu das Geld vorgesehen war, so erzählte sie mir einmal. Aber diesmal war das Geschäft abgekartete Männersache und die Mutter stand machtlos daneben und musste es akzeptieren. Unserem Vater machte das Fahren großen Spaß, sehr schnell ist er nicht gefahren. Nur wenn einige Grünschnäbel ihn mit ihren Mopeds zu überholen drohten, dann drehte er aber auf und preschte ihnen davon.
An den Wochenenden, wenn der Vater das Motorrad nicht brauchte, wollten die jungen Leute natürlich mal mit der »BMW« fahren. Da waren meine zwei ältesten Brüder, Werner und Hubert, der »Speitze Sepp« und der »Bäuerles Alois«, Freunde von ihnen. Das Jahr darauf hatte auch unser Sepp den Führerschein und durfte schon mit 16 fahren. Also jeder wollte mal eine Spritztour unternehmen und man wartete ungeduldig, dass einer zurückkam, damit der Nächste los fahren konnte. Ja, so war das damals. Einen Sozius hatte die »BMW« anfangs noch nicht, das kostete noch mal ein paar deftige Scheinchen. Er wurde etwas später angeschafft, dann durfte ich auch manchmal mit aufsitzen. Einmal wollten mein Vater und ich mit dem Motorrad zum Heu wenden auf die Wiese fahren. Mit dem Rechen in der Hand setzte ich mich gerade auf dem Sozius zurecht. Kam aber gar nicht dazu mich festzuhalten, weil mein Vater plötzlich ruckartig anfuhr. Plumps, da lag ich auch schon unten und stieß einen Schrei aus und die Umstehenden haben natürlich unverschämt dazu gelacht. Ja, das Sozius fahren war so eine Sache. Wir Mädchen zogen Mitte der 50er Jahre ja noch keine langen Hosen an, die waren damals auf dem Land noch verpönt. Zum Motorrad fahren hatten wir einen Mantel über dem Rock und darunter nur

Perlonstrümpfe an den Beinen. Bei einem Ausflug zum Kreuzberg in die Rhön wurde der Auspuff des Motorrades sehr heiß und ich kam beim Absteigen, obwohl ich stets daran dachte aufzupassen, mit meinem Bein daran. Das hat vielleicht weh getan! Das Perlon schmolz an die Haut und ich hatte eine handtellergroße Brandwunde, die verdammt schmerzte.
Ich kann mich nicht erinnern, dass sich unsere Mutter je auf das Motorrad setzte. Die Frau von Vaters Cousin, die »Schmelze Marie« aus Gräfendorf, war eine der ersten Frauen weit und breit, die ich kannte, die ein Motorrad fuhr. Das war ungewöhnlich für die damalige Zeit, Anfang der 50er Jahre. Wenn sie manchmal mit ihrer schweren Maschine bei uns vorfuhr, war sie nicht zu erkennen in ihrer Motorradkluft. Eine Lederkappe mit großer Motorradbrille, eine derbe Jacke und eine Knickerbockerhose hatte sie an, so weit ich mich erinnere. Sie sah aus wie ein Mann. Ein ungewöhnlicher Aufzug für eine Frau zur damaligen Zeit und ich habe sie respektvoll bewundert. Meine Mutter meinte dazu: „Ein richtiges Mannsweib!" Das sagte sie nicht abwertend, sondern es lag unverhohlene Bewunderung darin. Anerkennend fügte sie hinzu: „Das würde ich mir nicht getrauen". Nach zwei Jahren legte sich Hubert ein eigenes Motorrad zu und Sepp danach auch. Unser Jüngster, der Rudi, fuhr Ende der 60er Jahre auch eines. Der Spaß am Motorradfahren liegt wohl in unserer Familie. Denn von Vaters 9 männlichen Enkeln haben 7 einen Führerschein und sechs fahren ein Motorrad. Auch meine Tochter Priska, als einziges Mädchen, war lange eine eifrige Fahrerin. Und mein ältester Sohn Chris ist ein leidenschaftlicher Sammler und Bastler von Sachsmotoren und alten Mopeds.

Meine Konfirmation am Palmsonntag 1947 in Remlingen

von Gerda Burger aus Lohr

Unsere Familie war nach dem Krieg nach Remlingen evakuiert. Ich ging dort in die Schule. Pfarrer Schauer sprach ganz selbstverständlich von der bevorstehenden Konfirmation. Als ich das daheim erzählte, meinte meine Mutter: „Ihr seid doch erst 13. Aber das ist anscheinend so in Remlingen“. Und dann: „Um Gottes Willen, man kann doch nichts kaufen! Was sollst du anziehen? Was soll ich als Festessen kochen? Es gibt doch überhaupt nichts zu kaufen: Lebensmittel sind mehr als knapp, Kleidung und Schuhe gibt es überhaupt nicht.“

Aber meine Mutter hatte immer wieder gute Einfälle: Da war doch noch der wollene, schwarze Wintermantel vom verstorbenen Opa (er stammte übrigens aus Remlingen).

Alle Nähte aufgetrennt, alles gebügelt. Daraus war schon ein Kleid zu schneidern. Eine Frau aus Würzburg, die auch in Remlingen evakuiert war, Irmgard Schnepper, konnte ein bisschen nähen. Sie brachte ein recht ordentliches Kleid zustande. Meine Mutter bestickte es noch ein wenig mit weißem Glanzgarn und so gefiel es auch mir. Ist doch etwas Besonderes, ein Erbstück als Konfirmationskleid! Opa wäre stolz! Dann fehlten noch schwarze Schuhe! Unsere Mutter fuhr öfters mit dem Bus nach Würzburg. Da ging sie jedesmal in die Tauschzentrale in der Koellikerstraße. Dort gab es nichts zu kaufen, sondern nur zu tauschen. Man brachte ein (verwachsenes) Kleid, Schuhe, Wäsche usw., was man entbehren konnte und tauschte dafür etwas ein, das man unbedingt brauchte.

Man konnte also gut für ein Kleid ein paar Schuhe bekommen. Nur musste der eingetauschte Wert der Tauschartikel ähnlich sein.
Meine Mutter trug mehrmals verwachsene Schuhe von mir hin und brachte größere mit. Einmal tauschte sie für mich ein schönes Sommerkleid. Ich zog es sonntags an.

Konfirmation 1947 in Remlingen. In der Mitte der ersten Reihe Gerda Burger

Und so tauschte sie diesmal also Konfirmationsschuhe für mich ein: schwarze Pumps, fast wie neu, natürlich gebraucht. Sie passten, sie mussten passen!
Schwarze Strümpfe hat mir unsere Hausfrau, Frau Wehr, geliehen. Sie hatte Trauer: Sohn Bernhard war gefallen. Die Strümpfe waren aber viel zu groß, also wurden sie vorne breit umgeschlagen, denn sie mussten passen!
Das Kränzchen war der Brautkranz meiner Großmutter und meiner Mutter. Darauf war ich stolz. Ich erzählte es meinen Mitkonfirmanden. Woher ich jedoch die übrige Kleidung hatte, erzählte ich niemanden.
Die Mutter eines Mitkonfirmanden wollte mit der Konfirmation ihres

Sohnes ein Jahr warten, weil er keine lange Hose besaß (Buben trugen damals auch im Winter kurze Hosen und lange Strümpfe). Pfarrer Schauer sprach lang mit der Mutter, ehe sie einwilligte, ihren Sohn doch in diesem Jahr zur Konfirmation zu schicken, auch in kurzen Hosen.

Pfarrer Schauer wusste um das Elend der Evakuierten und Flüchtlinge. So bestellte er mich einmal zu sich ins Pfarrhaus. Dort gab er mir eine große Tüte Mehl: „Dass deine Mutter auch einen Kuchen backen kann!"

Die Mitkonfirmanden, die Bauernkinder waren, bat er, eine fremde Konfirmandin oder einen fremden Konfirmanden am Konfirmationstag zu sich zum Essen einzuladen. So kam es, dass ich zum Mittagessen bei Marga Hübscher und zum Kaffeetrinken bei Frieda Kraus eingeladen war. Es war schön dort. Es ist ja nicht alltäglich, dass man an einem solchen Tag am fremden Tisch sitzt. Aber damals war alles möglich. Trotz Armut und aller Probleme, die diese Zeit mit sich brachte, habe ich diesen Tag in schöner Erinnerung.

Einige Tage später wurden alle Konfirmanden in ihrer Konfirmationskleidung ins Pfarrhaus gerufen. Ein Amerikaner namens Burgi hat uns fotografiert. Wir hätten sonst kein Bild.

1997 wurde ich nach Remlingen zu unserer goldenen Konfirmation eingeladen. Alle waren so herzlich. Es war ein schöner Tag.

Ausflug in meine Kindheit

von Anita Kühn aus Lohr/Lindig

Ich kann mich noch gut erinnern wie es einmal war. Erst als ich etwa 10 Jahre alt war, baute man bei uns im Haus ein Klo ein. Davor hatten wir über dem Hof, neben dem Mist, ein Plumpsklo. Meine Cousine Roswitha und ich führten immer unsere Oma, die blind war, über den Hof dorthin.

Anita Kühn und ihre Cousine Roswitha

Mein Onkel, der mit seiner Familie mit im Haus wohnte, nahm immer die gelesene Tageszeitung mit aufs Klo und im Winter, wenn es sehr kalt war, brannte er das Papier an und warf es rein, damit es von unten auch ein bisschen warm wurde. Auch Toilettenpapier gab es keines. Aus der Tageszeitung schnitten wir Rechtecke aus, die wir dann dafür benutzten.

Auch ein Bad gab es noch nicht. Bei uns wurde in der Küche gebadet oder sich gewaschen. Zum Baden stellte man eine Zinkwanne auf. War das schön, als wir dann im Haus ein Bad und Klo eingebaut bekamen. Besonders in der Nacht, wenn man mal raus musste, war das über den Hof laufen manchmal ganz unheimlich. Bei uns spielte sich sowieso viel in der Küche ab, denn nur dort war es richtig warm. Dort stand ein Herd für Holz und Kohle. Von dort aus wurden alle Räume gewärmt, man ließ einfach die Türe zu den anderen Räumen offen.
Auch erinnere ich mich noch sehr genau, dass wir mehrere Male im Jahr schlachteten. Es gab sowieso nur Schweinefleisch und Wurst aus der eigenen Schlachterei. Es wurde ein Metzger aus dem Dorf bestellt, der das machte. Schon am Tag davor roch es nach Kraut und Zwiebeln, die man für die Wurst brauchte. Am Abend vor dem Tag, an dem gewurstelt wurde, wurde das Schwein geschlachtet. Wir mussten dann immer Blut rühren. Das Wurst anmessen mochte ich gar nicht, da bekam man mit den Blutfingern eine Malerei auf die Backe. Wenn dann die Wurst im Kessel war, durfte ich Wurstsuppe (in die manchmal eine kleine Leberwurst reinrutschte) an die Nachbarschaft austragen. Das tat ich sehr gerne. Manchmal bekam ich ja auch eine kleine Schokolade.
Wir hatten ein bisschen Landwirtschaft, Äcker, Wiesen, Wald, Schweine und viele Hasen. Deshalb gab es auch oft Hasenbraten bei uns. Wie man so sagt, waren wir Freizeitbauern. Wir mussten ja immer mit, egal ob es aufs Feld oder in den Wald ging. Dort schmeckte der Tee viel besser als zu Hause, genauso die Brotzeit, sie hieß dann eben Hasenbrot.
Auch auf dem Acker, wenn Erntezeit war, half ich gerne mit.
Ich bekam einen Korb nur für mich alleine, ich ging voraus und sammelte nur die großen Kartoffeln. Mit großen Kartoffeln war der Korb

ja auch schneller voll. Die Hauptsache war ja, dass man beschäftigt war und die Kartoffeln, die ich zusammenlas, brauchten die anderen nicht zusammenlesen.
In der Erntezeit wurde auch Most gemacht. Nebenan war ein Gebäude, dort hatten etwa 5 Nachbarn ihre Mostfässer, da half ich auch gerne mit. Wenn dann so um Weihnachten der Most fertig war, durfte ich mit. Da wurde ein Schlauch in das Fass getan und am anderen Ende durfte ich dann anziehen, bis der Most kam. In diesem Keller gab es kein Licht, so gingen wir immer mit Kerze rein, das war ganz toll für uns Kinder. Angst hatten wir ja nicht, auch wenn es fast dunkel war, denn es waren ja immer Erwachsene dabei.
Um Weihnachten herum war auch immer meine Puppe weg. Aber am Hl. Abend war sie dann wieder da, mit einem neuen Kleid und einer anderen Haarfarbe. Die Farbe klebte manchmal noch ein wenig. Richtige Haare hatte sie ja nicht.
Ich kann mich noch gut erinnern an unseren alten Pfarrer Needer. Er war schon in Rente (wir hatten einen jüngeren Seelsorger). Bei dem liefen die Hühner auf dem Küchentisch herum und er saß daneben und aß, das machte ihm gar nichts aus. Ja, da waren oftmals die Hühner auch in der Wohnung, wenn sie einen Eingang fanden. Da war noch Steinboden, was sich viele gar nicht mehr vorstellen können.
Früher war auch der Main noch oft zugefroren, was man jetzt kaum noch kennt. Da gingen wir mit den Eltern an Neujahr von Rodenbach nach Pflochsbach hinüber. Trafen wir dann Bekannte, so sagten wir: „Prost Neujahr das Geld ist gar.“ Da bekamen wir dann oft Fünfziger. Am Abend war man für seine Verhältnisse ganz schön reich.
Mein Onkel war mit seiner Familie noch viele Jahre mit uns im Haus (bis er selbst baute). Er war Schreiner und weil ich mit meiner Cou-

sine Roswitha immer zusammen spielte, bekam ich auch immer öfter mal einen Zehner, den wir im Gasthaus nebenan in kleine »Ritter Sport« umsetzten, denn das gab es früher auch schon. Da gab es so kleine quadratische rote Täfelchen oder auch mal einen Negerkuss, hat das toll geschmeckt! Schön war es auch, wenn wir zum Wallen nach Maria Buchen gingen, da bekamen wir einen Tag schulfrei. Da wurde immer ein Flößer aus Neustadt bestellt, der uns dann von Rodenbach nach Pflochsbach übersetzte. Wenn wir dann alle drüben waren, sind wir durch den Wald mit Musikkapelle nach Maria Buchen gelaufen. Das war immer ein schöner Tag für uns, denn dort bekamen wir immer eine Waffel mit so einer rosa Füllung, die gibt es heute noch, aber damals schmeckte sie uns viel besser. Am Abend ging es wieder zurück durch den Wald. In Pflochsbach wartete der Flößer wieder auf uns, um uns auf die andere Seite zu bringen. An diesem Abend waren wir immer todmüde und haben toll geschlafen.

Einen Fernseher hatten wir auch noch nicht. Als ich etwa 12 Jahre als war, bekamen wir einen Fernseher. Da gab es ja nur schwarz-weiß und nur 2 oder 3 Programme. Erst viel später haben wir dann einen Farbfernseher bekommen.

War das toll, das erste Mal in Farbe zu gucken. Heute gibt es zig Programme und kommt mal ein schwarz-weiß Film, wollen es die Kinder nicht schauen, dann heißt es: „Oh, nur ein schwarz-weiß Film."

Langeweile gab es nicht, ohne Fernseher gab es eben mehr Spiele z.B. Fangen, Verstecken, Ochs am Berg, Völkerball oder andere Ballspiele. Mit Murmeln haben wir auch gerne gespielt.

Das war die gute alte Zeit, auch ein schöne Zeit, meine Kindheit, an die ich mich gerne erinnere.

Im Sonntagsstaat in die Hundehütte

von Wilma Höfling aus Langenprozelten

Immer wenn Fronleichnam ist, werde ich an eine Begebenheit aus meiner Kindheit erinnert:
Ich war etwa fünf Jahre alt, als ich von der Tante ein strahlend weißes Kleidchen geschenkt bekam. Dieses sollte ich zu Fronleichnam zum Blumen streuen das erste Mal tragen.

Alte Schmuckkarte

Meine Tante hatte mir dazu auch ein Körbchen zurecht gemacht mit den schönsten Blüten, die sie im Garten finden konnte; dazu noch eine Schleife zum Umhängen des festlichen »Blüten-Containers«.
Ich konnte es gar nicht abwarten, so aufgeregt war ich, bis ich in meinen Fest-

tagsstaat schlüpfen durfte. Ein Kränzchen noch ins Haar gesteckt, fertig war ich. Nun kam meine Mutter an die Reihe. So wurde ich von ihr auf den Hof geschickt, da ich dort auf sie warten sollte.
Aus lauter Langeweile, oder auch aus Ungeduld, stolzierte ich mit meinem Blumenkörbchen auf und ab.
Da tauchte plötzlich unser Schäferhund, mein lieber Spielkamerad, der Lux, aus seiner Hundehütte auf, die in einer Ecke hinter der Treppe stand. Natürlich, er wollte wieder einmal nur gestreichelt werden, wir waren ja auch ein Herz und eine Seele!
Schnell stellte ich mein Blumenkörbchen ab und lief zu ihm, der sich bereits neben seiner Hütte in Streichelpositur gelegt hatte, auf dem Rücken liegend und mit allen Vieren mich anlockend.
Ich weiß nicht, was mich dann geritten hat. Denn auf einmal kroch ich rückwärts in seine Hundehütte - und das mit meinem neuen weißen Kleidchen - und schaute wie ein Wachhund aus der engen Behausung heraus.
Auf einmal, da, war es nicht die Mutter, die nach mir rief? Vor lauter Angst rutschte mir das Herz in die Hose und der Atem stockte. Keinen Laut bekam ich über die Lippen. Stattdessen schlug der Hund an, pflichtbewusst wie er war. Da wusste meine Mutter, wo sie mich zu suchen hatte.
Oh weh! Die traf ja fast der Schlag, als sie mich mit dem neuen weißen Kleidchen und dem Blumenkränzchen aus der Hundehütte schauen sah. Daran hatte sie nie im Traume gedacht, dass ich mir mal so etwas einfallen ließe. Der Fronleichnamszug war für mich an diesem Morgen gelaufen. Ich durfte ihn nur noch vom Fenster aus beobachten.

Praktische Ökumene

von Andreas Bernhard aus Ansbach

Das Wort Ökumene war in meiner Kinder- und Jugendzeit unbekannt. Der Sinn aber, die Einheit der Christen, wurde in Lohr damals schon praktiziert. Als Läutbube hatte ich regen Kontakt zum Küster Herrn Anton Ott. War ein Mitbürger der Stadt im Krieg gefallen, setzte in der Kirche ein regen Treiben ein. Städtische Arbeiter stellten zwei ungleiche Gerüstböcke im Altarraum auf. Der größere stand in Richtung Altar. Darüber legten sie vier Balken. Unter Anleitung von Herrn Ott überspannten wir Jungen das Ganze mit einem großen schwarzen Tuch. Das Ganze schmückten wir mit Kränzen und Blumengebinden. Am hinteren Bock band Herr Ott noch das Birkenkreuz mit dem Stahlhelm fest.

Die Valentinus-Kapelle in Lohr a. Main

Nach dem Gottesdienst betete der Priester vor dieser sogenannten Tumba das Requiescat in Pace - jenes Gebet, das sonst auf dem Friedhof gebetet wird. Etwas fiel mir aber dabei besonders auf. Es befanden sich sehr viele evangelische Christen hier in der katholischen Kirche. Eines Tages sagte meine Mutter zu mir: „Ich habe keine Zeit, gehe du in die evangelische Kirche. Es ist ein guter Bekannter von mir, der gefallen ist. Dein Vaterunser ist dort genausoviel wert wie in unserer Kirche. Es befindet sich dort auch ein schönes Gemälde von einem berühmten fränkischen Künstler als Altarbild." Kurz darauf stand ich unschlüssig in der Kirche. Da nahm mich eine Frau bei der Hand und führte mich zu sich in die Bank. Beim Umsehen sah ich viele katholische Christen dort.

Die evangelische Kirche in Lohr a. Main

So erlebte ich einen evangelischen Gottesdienst. Die Kriegs- und Nachkriegsjahre gingen vorüber. Das sogenannte Wirtschaftswunder kam. In dieser Zeit kam Dekan Karl Haller als Pfarrer nach Lohr. Sein

Ziel war, aus der Pfarrscheune ein Pfarrheim zu bauen. Deshalb bat er immer wieder um Spenden. Ein Ausspruch von ihm ist mir noch gut in Erinnerung. Er wurde viel bedacht und lautete: „Ich weiß, ihr nennt mich einen Bettelmönch. Ich aber sage euch, es kommt der Tag, an dem ihr nicht nur Alleluja singt, sondern Halleluja“. Er fuhr ins Ruhrgebiet und erbettelte bei einem Industrieunternehmen einen eisernen Träger für die Decke. Als der von zwei Pferdekutschen in die Stadt transportiert wurde, standen viele Leute in der Lohrtorstraße und schauten zu. Dekan Haller scheute sich nicht, im blauen Arbeitsanzug den Schubkarren mit Speiß die Rampe hoch zu fahren. In derselben Montur gab er abends den Segen. Unter den freiwilligen Maurern und Helfern befanden sich sehr viele evangelische Christen. Dasselbe geschah auch bei der Außenrenovierung der Valentinuskapelle. Als das evangelische Gemeindezentrum gebaut wurde, bat der katholische Pfarrer um Mithilfe. Dieses Aufrufs hätte es nicht bedurft. Es befanden sich schon viele katholische Maurer und Bauhelfer dort. Als in der evangelischen Kirche ein neues Geläute eingebaut wurde, gingen der evangelische Pastor und der katholische Pfarrer zusammen in die Glockengießerei, um ein harmonisches Geläute beider Kirchen herzustellen. So erlebte ich als Jugendlicher den Geist der Ökumene damals schon.

Mutters Rettung

von Josef Rüppel aus Esselbach

Ein Ereignis, gleich nach Kriegsende, hat sich bei mir besonders eingeprägt. Es war im Mai 1945. Die Amerikaner hatten unsere Gegend erobert und besetzt, als unsere Mutter schwer am Knie erkrankte. Sie führte dies auf einen Fußmarsch nach Michelrieth zurück, bei welchem sie sich das Knie verdrehte. Unser Vater musste nämlich irgendwo in Bayern in amerikanische Kriegsgefangenschaft geraten sein und Herr Joh. Adam Mohr in Michelrieth war in der damaligen Zeit ein Helfer in vielen Nöten und unsere Mutter erhoffte sich von ihm Auskunft, wo unser Vater vielleicht sein könnte.
Das Knie schwoll immer mehr an und Hausmittel wie Überschläge mit Essigsaurer Tonerde und Heilerde schlugen nicht an. Die Krankenschwester hier im Ort (ein Arzt war ja in den Wirren so gut wie nicht zu bekommen) hatte auch alles versucht, aber das Knie schwoll kopfgroß an, so dass unsere Mutter das Bett nicht mehr verlassen konnte. Die Krankenschwester sagte zu meiner Mutter, dass sie mit ihrem Bemühen am Ende sei und eine Operation unumgänglich wäre.
Unsere Nachbarin, die beste Freundin meiner Mutter, sagte nun, dass sie den ersten Jeep, den sie sehen würde, stoppen und den Amerikaner zu meiner Mutter führen würde. Es dauerte auch nicht lange, und die erste amerikanische Militärstreife, es waren zwei Mann, patroullierte. Die resolute Nachbarin Maria hielt diese an und artikulierte so gut es ging, dass hier eine Mutter von sieben Kindern unbedingt ärztliche Hilfe bräuchte.
Die beiden Soldaten begaben sich also in unser Haus, die Hände an den Pistolen und ängstlich hinter die Haustüre blickend. Das war ja

verständlich, denn es gab auch hinterhältige Fallen. Sie sahen die kranke Mutter und gingen wieder. Am anderen Tag kamen eine amerikanische Ärztin und ein Sanitäter. Diese gingen zusammen in die obere Stube an das Bett der Mutter (ich sehe mich heute noch daneben stehen), untersuchten das Knie und gingen wieder. Kurz darauf fuhr ein Jeep in unseren Hof, zwei Soldaten gingen mit einer Bahre nach oben, schnallten unsere Mutter darauf fest und kamen damit schwankend unsere schmale Stiege herunter. Sie legten sie quer hinten auf den Jeep, zurrten sie fest und waren zur Abfahrt bereit. Da bei alledem nichts gesprochen wurde, ging meine ältere Schwester zu dem Sanitäter und fragte, wo denn unsere Mutter hinkäme. Er gab ihr kurz zur Antwort: Hospital Wertheim. Die Mutter lag nun auf dem offenen Jeep, schaute in den Himmel, auf beiden Seiten ragten die Haltegriffe der Bahre heraus. Voller Angst und Erwartung sahen wir dem Fahrzeug nach, welches sich langsam entfernte. Das Krankenhaus in Wertheim war eines der wenigen, in dem noch Krankenversorgung gewährleistet war. Unsere Mutter wurde operiert und nach drei Wochen brachten sie die Amerikaner gesund und dieses Mal sitzend im Jeep wieder heim.

Alte Ansicht aus Esselbach

Im Nachhinein eine große Tat unserer damaligen Feinde. Ich wage zu bezweifeln, ob ein deutscher Zeitgenosse im damals besetzten Russland von einem ähnlichen Fall berichten kann.

Das Gebet im Säustall

von Gerlinde Brönner aus Marktheidenfeld

Im Frühjahr 1945 war ich noch nicht ganz 5 Jahre alt und hatte noch ein 4 Monate altes Schwesterchen.
Unsere Mutter war neben der Kindererziehung auch für Haus, Hof und eine große Familie verantwortlich, denn der Vater war seit 1939 im Kriegsdienst.
Zur Familie gehörten die Großeltern väterlicherseits, ein Großonkel und drei Brüder unseres Vater, von denen zwei auch noch im Krieg waren. Mir fehlte es, außer dem Vater, an nichts.
Damals hatten die Kinder keine großen Wünsche und Ansprüche, denn es gab ja nichts, somit kannte man auch nur das, was halt unbedingt nötig war. Die Mutter mühte sich mit der Landwirtschaft ab, die Großmutter mit der Küche und dem Haushalt, dazu gehörte auch ich, das bedeutete, dass ich der Oma auch schon helfen und auch folgen musste.
Das hat scheinbar an einem Tag nicht so gut funktioniert und deshalb war eine Strafe fällig. Fernsehverbot oder Taschengeldentzug - das gab es damals noch nicht. Ich wurde kurzerhand in den Schweinestall gesperrt. Hier war es dämmrig, fast dunkel, weil nur ein kleines Fenster Tageslicht einließ. Da waren 2 Boxen mit je 2 Schweinen, davor ein Gang, von dem aus die Tröge aufgefüllt wurden. In diesem Gang lief ich nun weinend und tobend hin und her. Die Schweine wurden unruhig durch mein Gebrüll , sie grunzten und schnaubten und stießen mit ihren Rüsseln in den Trögen herum.
Ich bekam immer mehr Angst, klopfte und trat an die Türe, aber diese war mit einem Eisenriegel von außen verschlossen und da draußen rührte sich nichts und niemand.

Meine Kräfte ließen nach, ich konnte nicht mehr schreien und klopfen. Da kam mir der Gedanke zu beten. Das Vaterunser konnte ich schon gut. Ich betete laut einige Vaterunser, jedesmal mit dem Zusatz: „Lieber Herrgott ich bitt' dich, beschütz meinen Papa im Krieg und lass mich wieder aus dem Säustall raus." Dabei beruhigte ich mich und wurde ganz still. Plötzlich hörte ich, wie von außen der Riegel geschoben wurde und langsam, lautlos öffnete sich die Türe ganz weit nach hinten. Ich sprang hinaus in den Hof, aber niemand war da.

Hausschwein mit Ferkeln

Glücklich rannte ich ins Haus und rief: „Ich will wieder brav sein und wer hat die Stalltüre aufgemacht?" Meine Mutter sagt: „Das war sicher dein Schutzengel". Ich habe es geglaubt.
Erst Jahre später erfuhr ich, dass mich damals unsere Nachbarin gehört und befreit hat. Aber der liebe Gott hat mich ganz gewiss auch erhört und meine Bitte erfüllt.

Unseren Vater hat er im Krieg beschützt und auch wieder heimkommen lassen, allerdings erst im Jahre 1949 aus russischer Gefangenschaft. Die Familie war endlich vereint und wir bekamen noch einen Bruder und eine Schwester.
In diesem Monat kann unser lieber Vater bei guter Gesundheit seinen 90. Geburtstag feiern und gemeinsam können unsere Eltern auf 62 Ehejahre zurückblicken.
Es freuen sich mit ihnen: die 4 Kinder mit Familien, einschließlich 15 Enkeln und 10 Urenkeln.

Blick auf Zimmern - von der Straße nach Bergrothenfels aus gesehen

Unser Hausbau 1954

von Martha Mundelsee aus Lengfurt

Die Zementfabrik kaufte alle brach liegenden Grundstücke, die im Interessengebiet lagen, so wurde auch mein Schwiegervater gefragt. Er besaß einen kleinen Weinberg am Alten Berg, neben dem großen fürstlichen Weinberg.

Beschauliches Lengfurt - und die Bahnlinie gegenüber gab's da auch noch

Auf diesem Grundstück waren auch 20 Apfel- und Birnbäume. Ihm wurde gesagt, dass das Grundstück vom Zementwerk niemals gebraucht wird und er das Obst lebenslang ernten kann. Also wurde er mit dem Zementwerk einig. Er bekam 4.000.- DM; das war damals viel Geld. Er sagte zu meinem Mann: „Das ist dein Erbteil, du kannst im Hausgarten mit dem Bauen beginnen." Dazu bekamen die Arbeiter im Zementwerk, mein Mann arbeitete dort, ein 7c Darlehen von 4.000.- DM, das in monatlichen Raten von 100.- DM vom Lohn abgezogen wurde. Dann ging es los.

Den Plan bekamen wir von einem Bauingenieur, der im Zementwerk beschäftigt war. Der Plan wurde gleich vervielfältigt. 4 oder 5 Familien bauten das gleiche Haus in Lengfurt, 8 x 8,5 Meter. Der Plan kostete 50.- DM.

Es gab keine Baumaschinen, der einzige Maurermeister aus Trennfeld besaß damals nur eine klapprige Mischmaschine, sonst gab es keine, auch keine zu kaufen. Da sie überall mit dem Bauen anfingen, denn es gab durch die Flüchtlinge eine große Wohnungsnot, bekamen wir die Mischmaschine nicht. Wir mussten den Zement und den Sand mit der Schaufel mischen. 3 x trocken, 3 x nass und noch einmal durchschaufeln.

Im März 1954 haben wir zu bauen angefangen. Alles wurde mit der Schaufel ausgegraben, weil es damals keine Bagger gab. Mein Mann wollte in der Nacht die Baugrube wieder zuschütten. Ich habe es energisch abgelehnt. Mein Mann hatte ja eine Maurerlehre begonnen, aber er konnte die Prüfung nicht ablegen, da er zur Wehrmacht eingezogen wurde. Nach dem Krieg kam er nur mit einer Hand nach Hause, so musste er eine andere Arbeit suchen. Er fand sie im Zementwerk. Mein Schwiegervater war auch Maurer. Er hat die hintere Seite noch mit Bruchsteinen gemauert, die wir mit dem Kuhfuhrwerk aus dem stillgelegten Steinbruch holten. Er konnte uns aber nicht mehr helfen, denn er hatte schweres Asthma. So mussten wir jeden Tag ran. Der Maurermeister kam höchstens einmal in der Woche vorbei und schaute, ob wir alles richtig machten. Er hätte keine Zeit und wir könnten es ja selbst. Zum Glück hatte mein Schwiegervater noch einige Maurerwerkzeuge und auch einen alten Schubkarren, der aber noch nicht gummibereift war. Ganz allein

gruben wir den Keller aus. Wir hatten Glück, es war lauter Sand, keine Steine.
Bodenzementplatten gab es damals nicht, die Fundamente wurden mit Beton ausgefüllt, die Hauswand wurde eingeschalt, dazu haben wir die Schalung von der Kegelbahn genommen, dann kam eine Lage Zement, dann wieder Steine. Die Eisen für die Fensterstürze wurden aus Alteisen des Zementwerks vom Schmied gerichtet. Ebenso die Kellertreppe. Die Kellermauern wurden mit Dachpappe abgedeckt. Der Wasseranschluss kostete 50.- DM, aber das Wasser war damals knapp. Da wir etwas höher lagen, lief das Wasser nur bis 10.00 Uhr bei uns. Deshalb musste ich früh schon alle Bottiche voll machen. Das Wasser kam vom Dautenbrunnen. Die Brücke war damals noch nicht wieder gebaut.
Das Schlimmste für mich waren die Stemmarbeiten. Ich musste den Meißel halten, da mein Mann ja nur eine Hand hatte. Er schlug mir aber nie auf die Finger.
Im November 1954 konnten wir einziehen. Die Maurermeisterrechnung betrug 384.- DM. Hauptsächlich fürs Abstecken und manchmal nachschauen, ob wir alles richtig machten. Alles andere machten wir selbst. Die Baukosten betrugen damals 11.500.- DM.
Der Umbau und die Aufstockung 1970 kosteten bereits 67.000.- DM, obwohl wir auch viel selbst machten.
Wir haben uns sehr geplagt, aber ich glaube, die Arbeit hat uns nicht geschadet, denn wir sind beide mit fast 80 Jahren noch ziemlich rüstig.

Die Geschichte des Rambourapfels

von Andreas Bernhard aus Roden/Ansbach

Von meinem Großvater, dem Oberforstwart Andreas Dildey, erfuhr ich folgende Geschichte über den Apfel »Lohrer Rambour«: Das Wahrzeichen von Lohr, der Bayersturm, erhielt seinen Namen von den Familien Bayer, in denen von Generation zu Generation die Aufgabe als Türmer der Stadt weitervererbt wurde.

Einer dieser Bayers verdiente sich durch das Schneiden der Obstbäume ein Zubrot.

Der »Bayersturm« in Lohr a. Main

Die ehemalige Gastwirschaft Rexroth in der Partensteiner Straße war die Herbergskneipe. Dort konnten Handwerksburschen auf Kosten der Stadt einmal übernachten.

In dieser Kneipe lernte Herr Bayer einen Franzosen kennen, der Obstbäume schneiden konnte. Einen Winter lang arbeitete er bei Herrn Bayer. Dabei entwickelte sich eine große Freundschaft. Beim Abschied versprach er Herrn Bayer, einen Rambourzweig aus seiner Heimat zu schicken. Ein paar Jahre später löste er sein Versprechen ein.
An der Ecke Marktplatz/Sterngasse befand sich die Gastwirtschaft »Zum Stern«. Am heutigen Postamt besaß der Wirt einen großen Baumgarten. Dort pfropfte Herr Bayer diesen Rambourzweig. Es entwickelte sich daraus ein großer, bis ins Frühjahr haltender Wirtschaftsapfel, der sich bald im ganzen Landkreis beliebt machte. Da er zuerst im Sternwirtsgarten gedieh, nannten ihn die Lohrer den Sternwirtsapfel. Zum Geburtstag des König Ludwig bauten die Schiffsbauer aus Lohr eine kleines Schiff und beluden es mit diesen Äpfeln und schickten es als Präsent nach München. Daraufhin schickte der König Experten nach Lohr. Das Ergebnis war, dass der Apfel bei der Ausstellung in Augsburg offiziell den Namen »Lohrer Rambour« erhielt. Bei den alten Lohrer Bürgern ist er aber immer noch der Sternwirtsapfel.

Das Schloss in Wolfsmünster

von Rita Amersbach aus Wolfsmünster/Gambach

Das »Schloss in Wolfsmünster« wurde von den Freiherrn von Thüngen erbaut und trägt im Portal das Wappen der Thüngen mit der Jahreszahl 1584 und das von Wolfsmünster mit dem Wolf. Am Außentor ist dann noch das Wappen vom Juliusspital mit den drei Ringen zu sehen.

Das Schloss bietet einen malerischen Anblick und mancher Künstler hat seine Freude daran gefunden und hier seine Zeit vergessen. Das Schloss und das Dorf haben eine interessante Geschichte, nachzulesen in dem Büchlein »Wolfsmünster« von Dr. med. Philipp Seltsam aus Gemünden. Auch im Schulunterricht erfuhren wir Kinder damals, welche kirchlichen und weltlichen Herrschaften die Geschicke unseres kleinen Dorfes beeinflussten. Die Reichsabtei Fulda, das Kurerzstift Mainz, das fürstbischöfliche Stift Würzburg, die Grafen von Rieneck, sowie die Freiherren von Thüngen und das Würzburger Juliusspital waren die wechselnden Herren. Von Kriegszerstörungen und Brand blieb das Schloss auf wunderbare Weise verschont. Im 19. Jahrhundert ging es in Privathände über. Und Anfang des 20. Jahrhunderts kaufte es die Stadt Frankfurt, um im »Schloss Wolfsmünster« ein Kinderheim zu unterhalten, das bis Mitte der 70er Jahre bestand. Danach richtete die Stadt Frankfurt eine Reha-Stätte für Drogensüchtige ein. Jetzt sind Asylanten drinnen untergebracht. Ein Hausmeister und einige Frauen aus dem Dorf fanden hier Arbeit und manche Bauern konnten hier ihre Milch und andere Naturalien verkaufen. Durch die Kinderschwester Sophie und andere Bedienstete war es mir als Kind möglich, manchmal ins Schloss rein zukommen und ich kannte daher die Räumlichkeiten ganz gut. An der Grotte neben der Kirche stiegen wir die Mauer hoch, um neugierig in den Schlosshof hinunter zu schauen und die Kinder manchmal mit kleinen Steinchen zu bewerfen, um sie zu ärgern. Das Schloss hatte immer etwas Faszinierendes an sich. Ich erinnere mich, dass in der Nachkriegszeit jedes Jahr für die Heimkinder ein Sommerfest gegeben wurde. Zu gerne wären wir Dorfkinder mit dabei gewesen. Wir kletterten auf die Gartenmauer, um neidisch dem spielerischen Treiben der Kinder zuzusehen. Irgendwann später durften wir Dorfkinder auch mitspielen, worüber wir uns sehr freuten.

Das Schloss in Wolfsmünster

Es wurden Ballspiele, »Sackhüpfen«, »Eierlaufen«, »Pfeil und Bogen« schießen und andere diverse Spiele gemacht. Am besten gefiel uns aber das lustige Kasperltheater, daran konnten wir uns nicht satt genug sehen. Zum Essen erhielt jedes Kind eine Wurst mit Brötchen und Kakao zum Trinken. Das war vielleicht gut, ist ja auch nichts Alltägliches gewesen und kostete uns keinen Pfennig. Wir haben uns richtig gut gefühlt an diesem schönen Tag.

Wunderschön blühender Flieder

Innerhalb des Schlossgartens standen große Cornell-Kirschbäume. Deren Äste reichten bis über die »Stadtmauer« wie wir sagen. Gerade zu den Sommerferien wurden die »Kamelkirschen« (so nannten wir Kinder die Früchte) reif und fielen über die hohe Schlossgartenmauer. So konnten wir sie auflesen und mit den herbsüßen Kirschen uns den Bauch voll schlagen. Ja, damals war der Pfad an der Stadtmauer noch begehbar. Es ist doch schade, dass jetzt alles so verwildert ist. Auch mehrere Fliederbäume standen im Schlosshof und in dessen Garten. Ich mochte den Flieder sehr, weil er so gut roch. Ja, so einen Strauß wollte ich für meine liebe Mutter haben. Deswegen schritt ich »Kleine« am Vortag des Muttertages

mutig zum Schlosstor, zog die Türglocke und fragte, ob ich einen Fliederstrauß für meine Mutter haben könnte, den bekam ich dann auch immer und das war jahrelang so.
Es wohnte einmal eine Heimleiter-Familie hier im Schloss, deren Tochter etwa 13-14 Jahre alt war. Sie hieß Barbara und hatte beneideswerte dicke, lange bis zum Hintern hinunter reichende, schwarze Zöpfe. Sie war ein sehr schönes Mädchen und sah aus wie Schneewittchen aus dem Märchenbuch. So gerne hätte ich solche Zöpfe gehabt, aber meine Mutter ließ mir nie die Haare lang wachsen. Neidvoll habe ich mich »Knirps« am Brunnen vor dem Schloss aufgehalten und aus Leibeskräften gesungen: „Bärwele, Bärwele, wis wis wis, gehi mit mir naus Hoaselnüss, ist die Hoaselnuss no niet zeitich, gehi mit mir naus Basereisich, ist des Reisich no niet guet, dann scheiß mer auf'n Huet". Das Liedchen wurde früher gerne auf die Bärbels gesungen.
Auch mir machte es Spaß, und ich sang immer wiederholt das Liedchen, bis das Mädchen verärgert aus dem Fenster schaute. Blitzschnell versteckte ich mich dann hinter dem Schlossbrunnen, in der Hoffnung, sie hätte mich nicht gesehen.
Einmal fuhr ich als kleiner Anfänger, dessen Beine noch nicht über die Fahrradstange des Herren-Fahrrades reichten, die Schlossstraße hinunter. Da ich die rechte Kurve nicht kriegen konnte, sauste ich pfeilgerade auf den Schlossbrunnen und schlug mir dabei mit dem Fahrradlenker die Lippe auf. Diese blutete heftig. In diesem Moment sah ausgerechnet die Barbara aus dem Fenster. Sie konnte es sich nicht verkneifen, schadenfroh zu mir zu sagen: „Das kommt davon, wenn man immer so böse ist!" Da habe ich mich geschämt und ihre Worte gaben mir zu denken. Von da an nahm ich mir ernsthaft vor, mich zu bessern. Das »Bärbel Liedchen« habe ich seither vor dem Schlosstor nicht mehr gesungen.

Getreideernte – »Ohne Schweiß kein Brot«

von Brigitte Diehm aus Wertheim-Bettingen

Draußen auf den Feldern sehe ich die Mähdrescher und muss dabei an früher denken. Meine Vorfahren mähten das Getreide ja noch mit einer »Blotzä«. Das war eine Sense mit einem Gitter daran, damit das Getreide leichter weggenommen werden konnte. Wir hatten es da schon viel leichter, denn in meiner Kinderzeit gab es schon Mähmaschinen mit Ablage.

Vor die Mähmaschine wurden die Kühe gespannt. Mein Vater saß auf der Mähmaschine und meine Mutter auf dem anderen Sitz, mit dem die Ablage betätigt wurde. Wenn ein paar Meter gemäht waren, wurde mit dem Rechen die Ablage runtergedrückt und nun blieben schon die »Orfel« Getreide liegen. Diese mussten nun nur noch aufgenommen und mit einem Seil zusammengebunden werden.

Meistens mussten die Kinder die Seile austeilen. Beim Roggen wurden sogar mit einer Handvoll Roggen die Seile gedreht. Zum Schluss wurden die »Bärde« zusammengetragen und zu Haufen aufgestellt. Nun mussten sie noch austrocknen.

Wenn es ein nasser Sommer war, konnte es schon einmal passieren, dass das Getreide auf den Haufen auswuchs. Zum Glück kam das aber selten vor. Wenn das Getreide schön trocken war, ca. nach einer Woche, wurde es eingefahren. Dazu wurde der Leiterwagen genommen, in den man zuvor das »Woachetuch« gelegt hatte.

Der Vater gabelte dann die »Bärde« auf den Wagen und die Mutter musste sie fachmännisch setzen. Wir Kinder durften wieder nachrechen, denn kein Hälmlein durfte liegen bleiben. Und trotzdem fanden die Flüchtlingsfrauen und -kinder, die danach auf den Äckern die Ähren aufsammelten, noch welche.

Dazu fällt mir ein Gedicht ein, das wir damals in der Schule lernten: *„Fritz war ein kecker Junge, und sehr geläufig mit der Zunge. Einmal ist er beim Ährenlesen draußen auf dem Feld gewesen. Ein Wetter zog herauf, da heißt es lauf, und flink wie ein Mäuslein schlüpft er ins nächste Garbenhäuslein.* (Nun fehlt mir leider ein Teil). *Fehl geschossen Herr Blitz, hier saß der Fritz!*

Erntearbeiten noch ohne Maschinen

Zuhause wurde dann die Fuhre in der Scheune abgeladen, meistens in den »Boahre« (Tenne) und nun konnte aufs Dreschen gewartet werden.

Ja, das Dreschen war eine tolle Sache, hatten wir als Kinder doch damit garnichts zu tun. Die Dreschmaschine kam reihum in jede Scheune. Beim Dreschen mussten noch Nachbarn und Freunde helfen, dann dazu brauchte man viele Leute.

Die »Bärde« mussten auf die Dreschmaschine gegabelt werden, einer musste sie auf der Maschine aufschneiden und reinlassen. Die in Säcke abgeführten Körner mussten im Wohnhaus auf den Speicher geschleppt werden.
Das ausgedroschene und gepresste Stroh musste wieder in die Scheune zurückgebracht und dort aufgesetzt werden. Wenn man einen ganzen Tag lang beim Dreschen dabei war, war man total zugestaubt, so dass man sich wieder auf ein erfrischendes Bad im nahgelegenen Main freute.

Kräftige Vesper nach der Ernte

Ach, was Wichtiges hätte ich beinahe vergessen: Natürlich gab es nach dem Dreschen eine kräftige Vesper, mit Hausmacher Wurst und Apfelmost. Und wir Kinder bekamen ein richtiges Dreschbrot!

Jugendlicher Leichtsinn - Der Kinderwagen auf dem Mistwagen

von Malchen Zemann, Schaippach, geboren in Rieneck

Seit meiner Jugendzeit verbindet mich eine innige Freundschaft mit meiner Schulfreundin Käthe. Alles, was wir in unserer Freizeit zusammen unternahmen, wurde in der Schule ausgeheckt.

Ansichtskarte von Rieneck

Käthe war mir in vielen Dingen überlegen. Sie hatten zu Hause schon ein Radiogerät. Aus der Radiozeitung konnte sie mühelos das Programm auswählen und am Gerät dann einstellen. Dafür habe ich sie sehr bewundert.

Sie hatten auch eine Kuh, so wie wir und außerdem hatten sie noch einen Leiter- und einen Mistwagen und die Stränge zum Einspannen.

Eines Tages sagte sie zu mir in der Schule: „Komm heut' Nachmittag zu uns mit deiner Kuh. Wir spannen sie dann mit unserer Kuh zusammen vor den Mistwagen, dann brauchen wir nicht zu laufen."
Zu Hause meinte meine Mutter. „Ich habe heute etwas Wichtiges vor. Kannst du nicht mal die Roswitha zum Hüten mitnehmen?" - Ach ja, die Roswitha, das war die Jüngste von uns fünf Kindern, sie war das Nesthäkchen.
Erlauben Sie mir kurz die kleine Abschweifung von der eigentlichen Geschichte: Im Dezember 1944 war unsere Roswitha geboren worden, in jener ungewissen Zeit, als die Amis immer näher rückten. Sorgenvoll blickte damals meine Mutter in die Zukunft. Es war eine schwere Zeit! Babynahrung als Obst- oder Gemüsegläschen, das gab's damals noch nicht. Jeden zweiten Tag kochte meine Mutter eine Handvoll Reis. Die Babyflasche bestand zur Hälfte aus Reisschleim und zur anderen Hälfte aus Milch. Dementsprechend war die Roswitha auch ein zierliches Kind.
Wieder zurück zur eigentlichen Geschichte: Als ich mit der Kuh und dem Kinderwagen raus zu der Käthe kam, rief ich ihr zu: „Käthe, das wird heute nichts mit dem Einspannen, ich muss nämlich Roswitha mitnehmen". Aber clever wie die Käthe war, wusste sie auch hier einen guten Rat: „Das ist kein Problem", meinte sie. „Wir stellen den Kinderwagen auf den Mistwagen, da kommen wir gut vorwärts." Die »Scheese« wurde hinauf gehoben und ab ging's in das Trockenbachtal.
Einmal kamen wir bis zu den zwei Häusern. Die liegen mitten im Wald und gehören zur Gemarkung Burgsinn. Dort spannten wir die Kühe aus und trieben sie in die Kultur. „Da steht schönes fettes Gras, da sind sie bald satt", meinte die Käthe.
In einem der Häuser wohnte der Forstmeister Kern. Als der uns erblickte, wurde er böse und schimpfte. Unsere Kühe würden seine

jungen Waldbäume umtreten. Dann hat er uns verjagt.
Wie weit wir an diesem Tag hinaus gekommen sind, weiß ich nicht mehr. Aber der Heimweg bleibt mir unvergesslich in Erinnerung. Froh und sorglos saßen wir auf dem Wagen, als es heimwärts ging. Plötzlich gab es einen gewaltigen Ruck und der Mistwagen blieb auf der Stelle stehen. Der Kinderwagen rollte nach vorne und überschlug sich. Auf der Einspannvorrichtung blieb er liegen. Aber die arme Roswitha - sie war heraus gefallen und lag unter der Deichsel auf der Straße. Nun war Eile geboten! Die Käthe rannte vor zu den Kühen. Ich kroch, so schnell ich konnte, durch die Kuhbeine und zerrte die Roswitha hervor. Die schrie jämmerlich.

Alte Ansichtskarte von Rieneck - damals noch überschaubar

Zu zweit zogen wir sie aus und untersuchten sie. Wir konnten aber keine Verletzung feststellen. Gegenseitig nahmen wir uns das Versprechen ab, niemandem etwas davon zu erzählen.
Was war geschehen?

Am Wegesrand waren dicke Stämme gelagert. Die Kühe kamen etwas zu weit nach rechts. Deshalb blieb der Wagen an einem Stamm hängen. „Gott sei Dank!" Das war noch mal gut gegangen!
Diese Geschichte schreibe ich mit einem lachenden und einem weinenden Auge. Noch heute erfasst mich eine tiefe Unruhe, wenn ich daran denke. Jetzt sind 54 Jahre vergangen. Nun kann ich diese Geschichte ja ruhig erzählen, zumal die Roswitha ja keinen Schaden davon getragen hat.

Unna Grasletzbier

von Horst Pötzl, Jahrgang 1927 aus Karlstadt

Viele werden mit dieser Überschrift nicht viel anfangen können. Denn es handelt sich genau so wenig um Bier wie bei Zlatko von Big Brother, der noch nie ein »Schäksbier« getrunken hatte.
Ich stamme aus Königswarth bei Falkenau und für uns Kinder waren so bis Ende Juni die Wälder eigentlich nicht so sehr interessant. Heidelbeeren, auch Blaubeeren genannt, bei uns hießen sie sogar Schwarzbeeren, gab es eigentlich sehr wenig. Nur eingeweihte Waldmenschen kannten einige Plätze.
Die Ausbeute der guten Früchte fiel sehr mager aus und es machte wirklich keinen Spaß und keine Freude, wenn man sich nach jeder einzelnen Beere bücken musste. Das war viel zu mühsam für uns Jungs. Da hatte man es doch mit Nachbars Kirschen viel einfacher und in den vielen großen Gärten gab es doch schon lange Erdbeeren, Johannis- und Stachelbeeren. Auch wenn diese noch nicht so richtig reif waren, aber der Gedanke, ein anderer könnte diese wegfressen, nee, dann machten wir das lieber selber.
Rhabarber gab es überall in Armesstärke, Kinderarme meine ich natürlich, Radieschen und Rettiche verachteten wir auch nicht. Wenn nur das leidige Gießen nicht gewesen wäre. Wir hatten zwei große Gärten und wir zwei Jungs mussten da täglich ran. Ich kann mich erinnern, dass, wenn wir Sommer hatten, auch Sommer war. Ein paar Gewitter zwischendurch, das war immer eine herrliche Abwechslung.
Auch sonst gab es feste Regeln und Aufgaben für jeden Einzelnen. Nach der Schule mussten die Hausaufgaben gemacht werden. Aber wer machte die schon? Es war doch viel einfacher, die am

nächsten Morgen in der Schule von jemandem abzuschreiben. Aber dann wurde es ernst: es musste für die Wohnung alles vorbereitet werden. Kohlen holen, Wasser holen, denn noch nicht alle Häuser hatten Wasserleitung, Holz vorbereiten, wenn möglich auch sägen und hacken, Späne machen war wichtig, denn die großen gemauerten Öfen mussten ja jeden Morgen neu angefeuert werden.

Die Preiselbeere

Und wenn das alles erledigt war, dann liefen wir, nur mit unserer schwarzen Turnhose, barfuß an die nahe Eger. Da wurden Feuerchen gemacht, Kartoffeln gebraten und immer wieder die Schnauze verbrannt. Und wenn wir dann nach Hause kamen, waren die Eltern froh und glücklich, dass wir heil und vor allem vollzählig da waren. Ja, und hatten wir einmal etwas angestellt oder irgendwelche Dummheiten gemacht, dann gab es nicht nur eine Strafpredigt, sondern auch manch kräftige Ohrfeigen. Und stellte es sich später her-

aus, dass man eine oder sogar zwei Ohrfeigen zuviel kassiert hatte, dann hieß es ganz einfach „Na, die hast du dann fürs nächste Mal gut.“
Abends saßen die Alten auf den Bänken vor den Häusern und über alles wurde diskutiert. Im Mittelpunkt der Gespräche natürlich meistens die Kinder. Über unsere Streiche wurde oft und viel gelacht und gesagt: „Ja was solls denn, des sind halt richtige Bubm und Hauptsache ist doch, sie sind gsund!“
Oft und gerne fahre ich in meine alte Heimat. Dort fühle ich mich wohl. Sieht man auch nur fremde Gesichter, aber die Häuser, die Straßen und Plätze, die Eger und die Felsen, auf denen wir herumgekraxelt sind, es ist alles noch da. Und trotz meines Fortseins von fast 60 Jahren weiß ich dann immer wieder: Heimat ist im Herzen und niemand kann es wegnehmen.
Endlich gab es in meiner Heimat, dem Egerland, dann die langersehnten Ferien. Immer im Juli und August. Die Preiselbeerzeit war angebrochen. Der Wald war schon einige Tage für alle gesperrt, denn keiner sollte die Beeren vorher und eventuell unreif ernten. Der Oberförster, eine Respektsperson, gab dann den sogenannten »Stichtag« bekannt, an dem die Beeren geerntet werden konnten.
Bei Graslitz, nahe der deutschen Grenze, gegenüber liegt Klingenthal, gab es nicht nur herrliche Wälder, sondern es gab auch, so weit das Auge reichte, 60-80 cm hohe Preiselbeerbüsche mit »Trauben« dicht an dicht.
An diesem »Stichtag« fuhr dann ein Bus schon um 5 Uhr früh von Königswarth nach Graslitz bis an den Wald. Der Bus hatte nur links und rechts an den Fenstern eine Sitzplatzreihe. Dadurch war in der Mitte ein großer Platz, in dem dann die Wannen, Kannen und Körbe stehen konnten.
Wir, meine Mutter, mein Bruder und ich hatten eine 80er und eine

70er Zinkwanne dabei und jeder noch eine Kanne zum Hineinpflücken. Am späten Nachmittag waren die Gefäße alle voll und ungeduldig wartete man an der Straße auf den Bus.
Viel Arbeit gab es dann in den nächsten Tagen. Die Beeren mussten ja alle ausgelesen werden. Eigentlich ging es einfach. Man nahm ein Waschbrett, wir sagten »Rumpel« dazu, stellte es leicht hoch und ließ dann eine Handvoll Beeren herunterlaufen. Dreck und kleine Beeren blieben in den Rillen liegen.
Dann gings ans Einkochen. In den großen irdenen Töpfen musste immer fleißig gerührt werden und natürlich durfte auch das Feuer nicht ausgehen. Also, so besonderen Spaß hat das nicht gemacht. Aber keiner dachte mehr an die Arbeit, wenn man diese herrlichen Beeren als Nachtisch mit Milch oder zu den vielen Mehlspeisen essen konnte.
Ja, und was ist nun das Wort »Grasletzbier«? Wie ich schrieb, holte man die Preiselbeeren aus dem Graslitzer Wald und weil die Beeren in der Mundart »Bier« sind, hießen also die Preiselbeeren bei uns und in der Umgebung einfach »Grasletzbier«, oder eben ganz verdeutscht: Beeren aus Graslitz!
Noch eine kleine Geschichte will ich anfügen. Ob diese wahr ist oder erfunden wurde, weiß ich nicht. Aber wenn sie erfunden wurde, wurde sie gut erfunden.
Rosl, die Frau des Totengräbers, sagte sich „heut geh' ich in den Wald, heut ist noch niemand da und da werd ich meinen Eimer schnell mit den Preiselbeeren voll haben. Und sollte mich der Förster erwischen, no Jasses-na, es wird schon nicht so schlimm werden. Ich bin doch mit seiner Anna verwandt" . Gedacht, getan.
Rosl hatte auch ihren Eimer ganz schnell voll und machte sich auf den Heimweg. Da steht doch plötzlich der Förster vor ihr. Der schimpft: „Rosl, du weißt, dass es verboten ist. Ich muss dir die Bee-

ren und auch den Eimer abnehmen, anzeigen werde ich dich diesmal noch nicht!“ Die Rosl läuft heulend nach Haus. Franz, der Totengräber, weiß gleich was los ist und sagt: „Hör auf zu flennen, heute am Abend hole ich unseren schönen neuen Zinkeimer wieder!“

Am Abend macht sich Franz auf den Weg zum Försterhaus. „Nein“, sagt der Förster, „Den kriegst nimmer, der is konfisziert!“ Da sagt der Franz: „Förster schau, heut ist doch die Haberzettl-Nannl gstorm und da brauch ich den Eimer ganz dringend, denn damit tu ich doch immer die Leichn abwaschen!“

Die Förstersfrau, die in der Küche das Gespräch mit angehört hatte rief: „Franz, tust du wirklich mit diesen Eimer die Toten abwaschen?“ „Jo, Anna“ sagt der Franz, „ich hab doch nur diesen einen Eimer!“ „Pfui Teufel“, ruft die Förstersfrau, kippt die kochenden Preiselbeeren in den Eimer und schreit: „Schau bloß, dass du fortkommst und lass dich nie mehr hier blicken!“

So schnell ihn die Beine tragen, läuft der Franz nach Hause. Stellt den Eimer in der Küche ab und vor Freude tanzen sie darum herum. Da steckt die Rosl ihren Finger in den Preiselbeerbrei, leckt ihn genüsslich ab und sagt: „Und süß san se a scho!“

Dieser Satz wurde zum geflügelten Wort. Wenn jemand Glück, unverdientes Glück hatte, wurde immer wieder gesagt: „Da schauts an, und süß worn se a scho!“

Der »Doude Moo«

von Hedwig Spielvogel

In Mondfeld war es schon immer so, dass am 4. Fastensonntag (Laetare Jerusalem) der »Doude Moo« ausgetragen wurde. Ich erinnere mich noch, wie es im Jahre 1944 mit diesem traditionellen Brauch war. Eine Herausforderung für die Buben und Mädchen der 8. Klassen bedeutete der »Doude Moo«, denn sie mussten sich darum kümmern, dass alles klappt. So traf man sich schon Wochen vorher zur Besprechung. In welcher Scheune wird das Gerüst gebaut? Wo und wie wird der Körper geformt (Mann oder Frau)? Es ist gar nicht einfach, so eine Strohpuppe zu machen, also musste feste gewerkelt und geschafft werden, bis endlich das fertige Exemplar auf der Stange hing. Die Aufgabe der Mädchen bestand darin, die Sträußchen herzustellen, wobei an kleine Buchszweige bunte Wollfäden gebunden wurden. Ach, das Wichtigste habe ich beinahe vergessen: Es musste auch ordentlich gesungen werden, wenn wir durchs Dorf marschierten und Station machten. Unser Lehrer übte mit uns die schönen Frühlingslieder und ich bedauere es sehr, dass heute in unseren Schulen fast keine deutschen Volkslieder mehr gesungen werden. Nun war es soweit, der Sonntag war da! Kurz vor 12.00 Uhr traf man sich an der Dreschhalle. Stolz präsentierten wir unseren »Doude Moo«. Es war diesmal eine hübsch gekleidete Frau. Nach dem 12-Uhr-Läuten wurde der »Engel des Herrn« gebetet, dann ging es los, den Haagzaun vor und die Hauptstraße runter. Es war schon ein Balanceakt für die 14-jährigen Burschen, die lange Stange mit dem »Doude Moo« oben drauf zu tragen. Die ganze Dorfjugend war dabei und viele Leute standen auf der Straße, wo an manchen Stationen die bekannten Frühlingslieder gesungen wurden. Am Dorfende angekommen, ging es den Hirtenweg entlang Richtung Main. Dort wurde die Strohpuppe symbolisch für den Winter und das Böse verbrannt. Nun kam die Zeit für die Kinder, die freudig durchs Dorf sprangen und riefen: „Gutzeli, Gutzeli“ und sich ihre Taschen und Beutel mit Süßigkeiten füllten, die sie vom Boden auflesen mussten.

Der »Doude Moo« als Jäger im Jahr 1945

Die Achtklässler, »Stars« des Tages, gingen stolz und freundlich von Haustür zu Haustür mit dem Spruch: „Den Winter haben wir fortgetragen, den Sommer bringen wir.“ Sie bekamen von den Leuten einige Eier und einen Rosmarinzweig in den Korb gelegt. Von den »besseren« Leuten, wie dem Lehrer, dem Bürgermeister, den Gemeinderäten und den Vorständen gab es ein Trinkgeld. Nach getaner Arbeit traf man sich am Abend zum Abschluss. In unserer Klasse hatten wir Zwillingsmädchen aus der Gastwirtschaft, wo wir zu unserer Freude den Abschluss feiern durften.

Die Kartoffelernte - Romantik im September

von Walter Langohr aus Marktheidenfeld

Nach Laurenzi beginnt der Herbst, so sagt man. Oder: Zum Haferschneiden darf man die Handschuhe nicht vergessen, ein alter Bauernspruch!
Die Nächte werden allmählich länger und kühler, es wird nebliger. Kurzum, der September zieht ein, zur Freude der Dorfjugend von Anno dazumal. Das Viehhüten begann landauf, landab. Die Kinder weideten nach der Schule nachmittags das Vieh ihrer Eltern, die meist kleinere Bauernhöfe besaßen. Auf den Feldern brannten die Kartoffelfeuer. Ein würziger, aromatischer, manchmal auch beißender Duft zog durch die Flur! Ja, die Kartoffelernte hatte begonnen. Vater, Mutter, Oma, Opa und die Kinder, kurzum die ganze Familie, alles was laufen konnte, half zusammen. Man war beim Lesen der Erdäpfel, in Franken auch Krumbern oder Krumbira genannt. Die Kartoffelroder, bespannt mit Ochsen oder Pferden (die moderneren hatten schon kleine Traktoren) zogen seelenruhig durch die einzelnen Beete und warfen in weitem Bogen die Karoffeln samt Kraut aus dem Boden. Es war für die Buben lustig anzusehen. Das meist schon dürre, manchmal aber auch noch grüne Kartoffelkraut ließ man noch etwas an der Sonne trocknen. Dann wurde es gesammelt, auf kleine Haufen geschichtet und zur Freude aller Kinder angezündet! Natürlich beaufsichtigen Opa, Oma oder die älteren Geschwister die Kleinen, damit kein Unsinn geschah oder gar gezündelt wurde. Rauchschwaden zogen durch die weiten, sonnenvergol-

deten Felder. Es duftete aromatisch nach frischer Ackererde und Herbst. Wir Lausbuben, aber auch die etwa gleichaltrigen Mädchen brieten Kartoffeln am Lagerfeuer, aßen diese gierig samt gerösteter, heißer Schale. Oft verbrannten wir uns dabei die Lippen oder gar den Gaumen. Großmutter erklärte uns, dass nun täglich die Sonnenscheindauer um einen Hahnenschrei kürzer würde.
Dafür würden sich die Nächte zum Herbst hin entsprechend verlängern. Das interessierte uns alle. Sie erzählte aber auch vom »Nachtgeger« (Nachtgockel), der auf uns kleine Kinder gleich hinter den Bergen lauert. Aber nur wenn wir nachts nicht rechtzeitig nach Hause gingen oder gar unseren Eltern davon rennen würden. Als wir es mit der Angst bekamen und fast weinten, tröstete uns Großmutter. „Nein“, meinte sie, „dieser riesige Nachtgockel geht nur des Abends, wenn es dunkel wird, auf ungehorsame und böse Kinder los. Auch auf solche, die nach dem abendlichen Bettläuten nicht nach Hause gehen oder gar frech zu ihren Eltern sind!“ Brave Bu-

Beim Dämpfen der Kartoffeln um 1953

ben und Mädchen hätten, so versicherte uns Oma, nichts zu befürchten. So halfen wir Kinder schön brav beim Sammeln und Aufschichten des Kartoffelkrautes. Dann klaubten wir gemeinsam mit Mutter die goldgelben, duftenden Erdäpfel auf, sammelten diese in geflochtene Weidenkörbe, die wiederum in riesige Jutesäcke entleert wurden.

Ansichtskarte von Marktheidenfeld

Abends, es dämmerte bereits, lud Vater gemeinsam mit Mutter die schweren Kartoffelsäcke auf den eisenbereiften Ackerwagen. Die beiden braven Ochsen, die das Fuhrwerk nach Hause zogen, trotteten gemächlich vor sich hin. Eile war ihnen, aber auch meinem Herrn Papa fremd. Ich saß auf den Kartoffelsäcken gleich neben Mutter, drückte mich vorsorglich ganz eng an sie. Es wurde bereits dunkel. Ich dachte an den »Nachtgeger« und hatte doch ein wenig Angst, denn man konnte ja nie wissen! Schließlich kamen wir zu Hause spät, aber wohlbehalten an. Ich durfte gleich ins Wohnzim-

mer, musste aber vorher noch den Kachelofen anschüren, denn abends war es manchmal schon recht kühl.
Nun, spät abends konnte ich meine Hausaufgaben erledigen. Dabei schlief ich ein. Endlich kamen die Eltern samt meinen 3 größeren Geschwistern. Sie mussten nach Beendigung der Feldarbeiten noch unsere Rinder und Schweine füttern, ausmisten sowie die 5 Kühe melken. Das dauerte. Dann, als alle fertig waren, aßen wir gemeinsam zu Abend. Es gab frisch gekochte Kartoffeln von unserem Feld. Dazu Butter und Quark. Das duftete und schmeckte köstlich! Jeder durfte essen soviel er wollte. Dazu tranken wir frische, kuhwarme Milch. Vater bevorzugte Apfelwein. Er lobte uns alle, weil wir so eifrig bei der Kartoffelernte geholfen hatten. Selbst mir, seinem Jüngsten, strich er zärtlich über die Haare und meinte: „Tüchtig hast du auf dem Felde gearbeitet, mach' nur so weiter!" Ich war stolz! Nie hätte ich mit einem Stadtkind tauschen mögen. Auf den nächsten Tag freute ich mich schon jetzt! Da geht es vormittags wieder in die Dorfschule. Und nachmittags, gleich nach dem Essen, darf ich mit den Eltern wieder aufs Feld: Kartoffel klauben, Feuer schüren und träumen.
Denn Träume sind das schönste im Leben. Die kann uns keiner nehmen!

Keine Schuhe...

von Lydia Wolf

Es war vor der Währung 1947. Die Fenster der Geschäfte waren leer oder mit Schau-Attrappen ausgestellt. Süßigkeiten gab es auch nicht. Man kannte als Kind damals keine Schokolade, weder Bonbons noch Südfrüchte. Manchmal sagte ich zu meiner Oma (Eltern hatte ich nicht mehr) „Ich habe so Hunger auf Süßes, Oma hast Du kein Bonbon für mich?“
„Warte, Mädchen“, antwortete sie, ging zum Schrank und kam mit einem Löffel voll Zucker zurück. „Mund auf und Augen zu“, sagte sie dann zu mir. Schwupps, hatte ich einen Löffel mit Zucker im Mund. Das war mein süßes Bonbon in der Not und ich war wieder glücklich. Im nächsten Jahr war Schulentlassung aus der achtjährigen Volksschule. Meine Oma besorgte mir eine Arbeitsstelle im Nachbarort bei einem Bauern. Sie meinte, dort hast du wenigstens gut und satt zu essen. Das war in der damaligen Zeit wichtiger als Geld. Für Geld bekam man nichts, das hatte keinen Wert.
Beim Bauer später war alles neu für mich. Zuerst musste ich lernen Kühe zu melken. Ich hatte bis dahin noch nie eine Kuh angefasst. Aber bald war die Angst überwunden und das Melken der fünf Kühe ging langsam immer besser. Das Essen war sehr gut, so wie ich es vorher nicht kannte. Aber die ungewohnte Arbeit war doch sehr schwer. Im Sommer oft bis abends 10.00-11.00 Uhr auf der Dreschmaschine oder die Korngarben einfahren. Dabei war die Gerste mit den vielen Disteln dazwischen am schlimmsten. Mir standen oft die Tränen in den Augen und ich sagte zum Bauern: „Die Disteln stechen so und meine Hände tun so weh!“ (Handschuhe gab es nicht). Der Bauer antwortete: „Nur feste zugefasst, da gewöhnt man sich

dran und spürt zum Schluss nichts mehr von dem Ganzen". Von diesem Zeitpunkt an wollte ich nicht mehr dableiben. Aber Oma redete mir gut zu mit den Worten: „Halt wenigstens ein Jahr durch, die meiste Zeit ist doch schon um. Danach kommst du sofort wieder zurück." Sie hatte ja auch das Haus voll von Verwandten und den anderen Enkelkindern, die wegen der Bombenangriffe aus der Stadt zu ihr geflüchtet waren.

Auf Schusters Rappen

Als mein schweres Jahr um war und ich sofort wieder voller Freude zurück kam, musste ich bei Oma schlafen, weil kein Platz mehr woanders im Hause war. Nach einer Zeit sagte ich zu meiner Oma: „Ich würde ja gerne wieder irgendwo arbeiten, aber nicht mehr so schwer, wie es zuletzt war."

Trotz des guten Essens beim Bauern hatte ich noch fünf Kilo abgenommen. Die Arbeit war eben zu schwer und ungewohnt für mich als 14-jährige gewesen. Wie immer wusste Oma auch bald wieder Rat.

Durch Bekannte bei der Lebensmittelkarten-Ausgabe erfuhr sie von einer Stelle als Hilfe im Haushalt bei einem Steinmetz. Das war in einem 20 km entfernten kleinen Städtchen. Dort hast du es nicht mehr so schwer wie bei dem Bauer zuvor. Meine Freude war groß: Aber ich hatte ja nicht mal mehr ein paar gescheite Schuhe an den Füßen. Die Einzigsten, die ich hatte, waren zu klein geworden. Doch Oma hatte sich auch schon Gedanken gemacht. In ihrer Not sprach sie einfach einen Russen an (im Ort waren damals gefangene Russen, die bei den Bauern arbeiteten. Zum Schlafen kamen sie abends wieder alle zum Lager zurück bis zum nächsten Morgen). In der Freizeit bastelten sie aus Gummireifen Gummischlappen. Dafür bekamen sie dann von den Leuten eine extra Wurst oder sonst etwas Brauchbares zum Anziehen. Es hatte ja eigentlich keiner was übrig in der schlechten Zeit. Geld hatte ja keinen Wert.
So bekam ich ein paar handgefertigte Gummischlappen, womit ich die neue Stelle im schönen Badestädtchen antrat.
Oma war mitgefahren und wir wurden beide ganz herzlich empfangen und begrüßt.
Die 70-jährige Witwe bewohnte mit ihrem magenkranken Sohn und einem Mieterehepaar das Haus. Ein zweiter Sohn war noch in Gefangenschaft. Mit meiner Chefin (die 70-jährige Witwe im Haus) verstand ich mich sehr gut. Ein kleiner Ziergarten war um das Haus und darüber war ich besonders erfreut. Selbst nach Feierabend war ich froh, noch darin arbeiten zu dürfen (Gartenarbeit zählte zu meinen Hobbys).
Nur ein Problem gab es auch hier wieder. Ich musste ja sonntags zur Kirche (als gläubige Katholikin), hatte aber keine Schuhe, nur die Gummischlappen (vom Russen gemacht).
Ach, sagte meine Chefin zu mir: „Ich leihe dir für den Kirchgang meine Schuhe aus. So kommst du wenigstens zur heiligen Messe“. Ja,

so musste ich jeden Sonntag mit den Oma-Schuhen zur Kirche, die mir auch noch eine Nummer zu groß waren. Es waren schwarze Halbschuhe mit Schnürsenkeln. Ich weiß noch, wie ich mich immer schämte mit den Schuhen, als inzwischen fast 16-jähriges Mädchen damals. Den übrigen Sonntag saß ich am Fenster in meinem Zimmer und sah, wie draußen alle in der Sonne spazieren gingen. Auch Mädchen in meinem Alter. Das tat weh. Diese Mädchen hatten noch Eltern, die für Schuhe ihrer Töchter Wurst und dergleichen tauschen konnten, was bei mir nicht der Fall war.

Eines Sonntagnachmittags sah ich wieder die fröhlichen Leute draußen spazieren gehen und ich fühlte mich drinnen wie im Gefängnis. Dann bekam ich eine regelrechte Wut, weil es mir so ging und ich nie Schuhe hatte. Habe laut im Zimmer geschimpft und geweint und zu mir selber gesagt: „Wenn es später mal wieder Schuhe zu kaufen gibt, dann kaufe ich mir gleich sieben Paar, sieben Paar", wiederholte ich noch lauter, als wenn ich es mir in die Seele reingravieren wollte. Für jeden Tag ein Paar. Für montags, dienstags, mittwochs, donnerstags, freitags, samstags und sonntags die Allerschönsten. Sooo! Ja, das saß jetzt fest in meinem Inneren.

Irgendwann kam dann auch bald die Währung. Die Reichsmark wurde hinfällig, wertlos. Dafür bekam jeder, ob arm oder reich 40.- DM auf die Hand. Das alte Geld war nicht mehr umsetzbar.

Jetzt war auf einmal wieder Ware in den Schaufenstern zu sehen.

Wo diese wohl so schnell herkam über Nacht? - dachte ich.

Nun, die Freude war groß.

Mit den Russenschlappen an den Füßen und die ersten 40.- DM in der Hand suchte ich als erstes die Schaufenster auf. Wonach wohl? Ja natürlich, nur nach Schuhen! Schließlich fand ich ein paar Lederschuhe, die mir gefielen. Große Auswahl war noch nicht, aber man war zu der Zeit noch ganz bescheiden und zufrieden. Diese, meine

ersten Schuhe nach dem Kriege kosteten 39.- DM. So erhielt ich noch 1.- DM zurück bis zum nächsten Ersten des Monats von meinen 40.- DM Lohn. Im nächsten Monat sah ich schöne weiße, Leinen-Sommerschuhe im Fenster. 19.90 DM mit Blockabsatz. Diese kaufte ich mir auch und so war ich durch den Absatz gleich noch 4 cm größer. So ging es dann weiter, jeden Monat ein paar schöne Schuhe dazugekauft, so wie ich es mir vorgenommen hatte. Mit der Zeit hatte ich schon 20 Paar Schuhe stehen. Meine Tochter meinte später, ich hätte einen Schuh-Tick. Nun, sagte ich ihr: „Das ist alles Nachholbedarf von früheren, schlechten Zeiten her“. Mit diesem Tick kann ich auch ganz gut leben.
Inzwischen sind 60 Jahre vergangen und die Welt sieht wieder anders aus. Heute heißt es nicht mehr »Keine Schuhe«, sondern immer noch zuviel! So können einen erlebte Zeiten von früher prägen. Doch kaufen brauche ich nun keine Schuhe mehr in meinem Leben.

Die Ordensschwester

von Rita Amersbach aus Wolfsmünster/Gambach

Das Haus, in dem ehemals die Barmherzigen Schwestern wohnten, liegt zwischen dem alten Feuerwehrhäuschen und der ehemaligen Schule. In früheren Zeiten bewohnte ein Förster das Haus.

Ansicht in Gambach

Der Johanniterzweigverein kaufte dann das Anwesen. Als die Wohnungen leer standen, nutzten auch die Nachbarn vorübergehend die Räumlichkeiten, als sie in den 30er Jahren des vergangenen Jahrhunderts ein neues Haus bauten. Der kleine Turm rechts daneben ist ein Überbleibsel aus der früheren Friedhofsbefestigung und trägt die Jahreszahl 1601. Er diente auch als Gefängnis. Mein Vater erzählte mir damals, dass die Spitzbuben hier solange eingesperrt

wurden, bis die »Schandarme« eintrafen, um sie abzuholen. Schelmisch lächelnd fügte er hinzu: „und jetzt werden die bösen Kinder hier eingesperrt“. Skeptisch schaute ich ihn an, das konnte ich nicht glauben. Dennoch schauderte mir bei dem Gedanken, hier eingesperrt zu sein und ich bemühte mich, keinen Anlass hierfür zu geben. Aber zusammen mit anderen Kindern riskierte ich schon mal einen neugierigen Blick hinein, wenn das Turmtürchen offen stand. Es fiel kaum Licht durch das winzige vergitterte Fensterchen. Schnell sind wir Kinder die kleine Treppe hoch, die zu den Schießscharten führte, um hinaus zu sehen. Das sahen aber die Ordensschwestern, die hier ihre Gartengeräte abstellten, nicht so gerne. Wenn wir in der Schule Heimatkunde hatten und speziell Dorfgeschichte, dann ging die Lehrerin Martin mit uns zum Türmchen und wir durften das dunkle Verlies in Augenschein nehmen.
Die Ordensschwestern sind etwa 1937 ins Dorf gekommen. In der Regierungszeit des Adolf Hitler wurden bis in die Dörfer hinein soziale Einrichtungen geschaffen, wie die Kindergärten und Stationen für erste Hilfe und Krankenversorgung. Die Hitlerregierung wollte dadurch geschickt ihren politischen Einfluss unter die Menschen bringen und für Sympathie werben. Auch in unserem Dorf sollte, so wie in Gräfendorf und in vielen anderen Ortschaften, von der NSV »National Sozialistischen Volkswohlfahrt«, ein politisch orientierter Kindergarten und Krankenstation errichtet werden. Das war unserem damaligen Pfarrer Riedmann aber ein Dorn im Auge. Er sorgte dafür, dass aus der Klostergemeinschaft des hl. Erlösers in Würzburg Krankenschwestern unserem Ort zur Verfügung gestellt wurden. So ist er der NSV zuvor gekommen. Auch an einen Kindergarten hatte er damals gedacht. Es war damals üblich, dass der Konvent dem Ort Schwestern zur Verfügung stellte, aus deren Mitte Frauen ins Kloster gingen. Ich weiß von 5 jungen Frauen, die in den

30er - 50er Jahren einem Orden beitraten. Die Marie Reis, Missionsschwester in Rhodesien und Ehrenbürgerin unseres Dorfes, Franziska Wahler, Elisabeth Heinz, Schönstadtschwestern, sowie Melanie Brönner und Johanna Dittrich, Schwestern des hl. Erlösers. Es war damals ein Segen für das Dorf, Krankenschwestern zu haben. Die Schwestern Mangulfa und die jüngere Schwester Anatolia waren für das Dorf zuständig. Die dritte Schwester arbeitete als Fürsorgeschwester in Gemünden. Ich glaube, Ende der 60-er Jahre verließ wegen Krankheit und Altersgründen die letzte Schwester das Dorf und es wurden keine mehr zur Verfügung gestellt. In den 30er-40er Jahren war es auch ein Glück für unsere Mutter, die Ordensschwestern in der Nähe unseres Hauses zu haben. Meine Mutter war viel auf sich alleine gestellt. Drei kleine Kinder, eine alte Großmutter, Vieh und Feldarbeiten lasteten auf ihr. Mein Bruder Sepp war am meisten und längsten in der Obhut der Schwestern. Auch als ich geboren war, brachte sie mich stundenweise bei ihnen unter.

Sei es, dass sie aufs Feld musste oder Behördengänge zu erledigen hatte. Unserer alten Großmutter Eva konnte sie so ein kleines Kind nicht mehr überlassen, aber bei den Schwestern wusste sie uns gut aufgehoben. Sie entlohnte sie dafür mit Naturalien. Zu den Schwestern konnten wir immer mit unseren verschmutzten Wunden kommen. Da wir im Sommer leicht bekleidet waren, durchweg barfuß liefen, hatten wir oft Blessuren. Die Schwestern waren für die Bevölkerung die erste Anlaufstelle, wenn größere Wunden versorgt werden mussten. Sie machten Hausbesuche und kümmerten sich um die Kranken und allein stehenden alten Menschen. Die Schwester Anatolia mischte sich manchmal zu sehr in fremde Angelegenheiten, man gab ihr den Spitznamen das »Göckerle«. Als ich einmal in Glasscherben trat, zogen sie mir die vielen kleinen Splitter aus

dem Fuß. Sie verarzteten als erstes meinen stark blutenden Finger, den ich in die Rübenmühle brachte. Die Schwestern stellten auch selbst Salbe her, die so wunderbar roch. Es könnte eine Arnika- oder Ringelblumensalbe gewesen sein. Das war schon Grund genug, mit unseren Wehwehchen hinzulaufen. Die Schwester Anatolia sammelte das Jahr hindurch auch Beeren und Kräuter, da bin ich gerne mitgegangen, um für meine Mutter Beeren zu pflücken. Oder wir Nachbarkinder halfen den Schwestern, das Spaltholz im Hof aufzusetzen. Dafür belohnten sie uns mit Marmeladenbroten und selbst gemachtem Beerensaft. Wie gut hat es uns geschmeckt, schon damals haben wir gerne geholfen. Ich habe es sehr bedauert, als 1946 die Ummauerung des Hofes eingerissen wurde, weil ein Pfarrgemeindehaus angebaut wurde. Ein kleiner Innenhof wurde gelassen und überbaut, wie noch zu sehen ist.
Wenn die Bauern schlachteten, haben sie den Schwestern immer etwas davon abgegeben und auch von anderen Produkten. Ich brachte ihnen oft die Milch. So viel ich noch weiß, haben sich darin die Bauern abgewechselt. Es wurde auch jeden Monat ein kleiner Betrag von 60 - 80 Pfennigen in jedem Haushalt eingesammelt, der den Schwestern zukam. Das Schwesterngeld sammelte meine Mutter ein, später habe ich es gemacht. Das war nicht viel Geld. Was sie sonst noch bekamen, weiß ich allerdings nicht. Aber ich glaube, dass die Gemeinde oder das Pfarramt noch etwas beisteuerten.

Der Dorfschmied und die Landtechnik

von Walter Langohr aus Marktheidenfeld

Vorfreude ist die schönste Freude, so sagt man im Allgemeinen. Ende September 1950, ein wichtiger Tag in meinem Leben, da bekamen wir unseren Bulldog, den Allgaier-Porsche.

Unser Porsche Typ AP17 hier auf dem Feld bei Erntearbeiten mit dem Bindemäher. Damals gab es noch schwarze Nummernschilder. AB bedeutete: Amerikanische Besatzungszone Bayern.

Mit dem Eintreffen dieses schönen, orangefarbenen Traktors modernster Landtechnik, so dachte ich, wären nun alle Probleme, auch die finanziellen gelöst. Doch weit gefehlt.
Freilich, die braven Zugochsen namens Max und Moritz, die wir nun

nicht mehr brauchten, kamen zum Metzger und brachten gutes Geld. Schließlich ist Ochsenfleisch eine bekannte Delikatesse.
Die dadurch frei werdenden Plätze im Stall konnten zwei zusätzliche Milchkühe einnehmen. Folglich bekamen wir zwei Kälber mehr pro Jahr und konnten außerdem mehr Milch produzieren. Dieses machte sich natürlich durch die höhere Milchgeldzahlung, die monatlich durch die zuständige Molkerei erfolgte, bemerkbar.
In den früheren Pferdestall, den zeitweilig Großmutter als Hühnerstall nutzte, bauten wir eine Garage ein. Die Hühner mussten sozusagen für den Porsche weichen. So hatte hier ab sofort unser Traktor seinen Platz sowie eine Art Werkbank, die wir gemeinsam bauten. Dazu lieferte unser Landmaschinenhändler namens Lang ein Fass Diesel mit der dazugehörigen Flügelpumpe. So konnten wir unseren Bulldog selbst betanken.
Doch das alles kostete Geld, so dass die zusätzlichen Milchgeldeinnahmen auch dringend benötigt wurden.
Alle unsere eisenbereiften Leiterwagen und Erntewagen, einschließlich Sämaschine, Heuwender und Pferderechen, mussten mit einer speziellen Traktorendeichsel ausgestattet werden. Zu diesem Zwecke sägten wir die lange, hölzerne Zugdeichsel ab, die einst für unsere beiden Ochsen zum Anspannen diente.
Dazu fertigte unser Nachbar, der Dorfschmied, die erforderlichen eisernen Beschläge in mühevoller Handarbeit an. Das dauerte und kostete.
Selbst unser noch fast neuer Zweischarpflug, der bisher von den Ochsen gezogen wurde, musste passend für den Allgaier-Porsche Schlepper, genau gesagt für dessen Zugmaul und Ackerschiene, umgerüstet werden.
Doch schließlich war der Schmiedemeister mit seinen Arbeiten fertig. So konnten wir mit unseren eisenbereiften Wagen, je nachdem

mit Dung oder Grünfutter beladen, laut ratternd durch die Ortschaft fahren.
Natürlich düsten wir Buben möglichst oft mit Höchstgeschwindigkeit durchs Dorf, Feld, Wald und Flur. Manchmal verloren wir auch (das kommt vor) ein Wagenrad, denn für diese (hohe) Geschwindigkeit von 20 km/h waren unsere Fuhrwerke nicht vorgesehen. Andererseits fehlte noch das Geld für gummibereifte Räder.
Vater schimpfte. Er fuhr den Traktor fast nur im Schneckentempo, um die Gerätschaften zu schonen und Diesel zu sparen. Überdies war ihm Eile fremd.
An Regentagen, vor allem im Winter, wenn die Arbeit auf den Feldern ruhte, gingen wir gerne zum Schmied.
Eigentlich war es eine richtige Huf- und Wagenschmiede, direkt neben unserem Bauernhof gelegen. Max und Moritz, die beiden Zugochsen, wurden dort seinerzeit, genauer gesagt deren Klauen, beschlagen. Ebenso natürlich die noch im Dorf und Umgebung verbliebenen Pferde.
Doch immer mehr Landwirte kauften einen Traktor. So änderte sich sukzessive der Geschäftsbereich des Hufschmiedes langsam aber sicher zu einem Landmaschinen- und Installationsbetrieb.
An Regentagen, vor allem im Spätherbst, wenn es draußen öd und düster war, entfleuchten mein älterer Bruder und ich gerne zum Schmied. Man hörte meist schon von weitem das Hämmern und zwar vom frühen Morgen oft bis spät in die Nacht hinein.
Der Dorfschmied und sein Geselle waren fleißige und sehr geschätzte Leute. Ja, es war eindrucksvoll, in der großen, rußgeschwärzten Schmiede zu stehen und dem Meister bei seinen wuchtigen Schlägen mit dem großen Schmiedehammer zuzusehen.
Gerne fertigte er routiniert aus einem riesigen Stück glühenden Eisens eine Bulldog-Deichsel. Wahlweise gab es diese ganz aus

Stahl oder auf Wunsch die etwas billigeren eisernen Beschlagteile für den noch verbliebenen hölzernen Stummel der früheren Zugdeichsel.

Ja, der Schmied hatte es eilig, denn er musste das Eisen schmieden so lange es noch heiß, genauer gesagt glühend war.

Wenn das Werkstück erkaltete und somit zum Weiterschmieden nicht mehr geeignet war, steckte er es in die Esse. Hier loderte meist ein mächtiges Feuer mit viel Glut, das oft die ganze Werkstatt erhellte.

Unser Dorfschmied handelte auch mit wunderschönen Fahrrädern!

Für uns Lausbuben bedeutete dies ein Stück Wärme und Romantik in der unwirtlichen und kalten Jahreszeit. Oft durften mein Bruder oder ich den Blasebalg treten. Das ging ähnlich wie beim Blasebalg der Kirchenorgel.

Später, denn auch hier fand technischer Fortschritt statt, wurde dieser Blasebalg durch ein Gebläse, zunächst mit Drehkurbel, später dann mit Elektromotor ersetzt. So brauchte man unsere Dienste

nicht mehr. Die Ausrede: „Beim Schmied helfen zu müssen“, wurde von unserer strengen Mutter nicht mehr oder nur noch selten akzeptiert.
Unser geliebter Dorfschmied, der alte Güthner, so hieß er mit Nachnamen, war natürlich schwerhörig.
Die lauten Hammerschläge tagaus, tagein führten verständlicherweise dazu. Doch trotzdem gehörte er, gleich neben dem Gastwirt und dem Gänsehirten, zur bestinformiertesten Person des Dorfes. So erübrigte der Besuch bei unserem Schmied das Lesen der Zeitung und sogar den Wirtshausbesuch. Dadurch konnte man wiederum Geld sparen.
Eindrucksvoll war es, wie der Schmied Pferde beschlug oder Pflugschare schmiedete. Manchmal verband er auch zwei glühende Eisenteile durch geschicktes Schmieden miteinander, so wurde nur selten ein Schweißapparat gebraucht. Jawohl, der Dorfschmied war ein kreativer Mensch. Er konnte die herrlichsten Dinge schmieden, das beflügelte unsere Phantasie. Selbst Kuhketten konnte er reparieren und die dazu erforderlichen Glieder anfertigen.
Am eindrucksvollsten war es, wenn auf Holzräder, die der Wagner gefertigt und angeliefert hatte, neue Metallreifen aufgezogen wurden.
Diese noch glühenden Reifen wurden erstmal im Wasserbad geschickt gehärtet und dann durch gezielte Hammerschläge vom Meister und seinem Gesellen aufs Holzrad aufgetrieben, wobei es noch heftig qualmte.
Lang und breit wurden aber auch die verschiedenen Traktorenfabrikate diskutiert, dadurch gab es nie Langeweile. Jeder Bauer oder Bauernsohn gab eventuelle Schwächen seines Bulldogs nie zu, egal ob Fendt, Schlüter, Deutz, Hanomag oder Porsche. Jeder hatte natürlich zu Hause den »besten« Traktor. Ja, die Traktorenver-

käufer der Landmaschinenhändler hätten sicher noch vieles von uns lernen können. Doch manchmal hatten wir auch recht hahnebüchene Argumente auf Lager.
Teuer war unser Schmied nicht. Geld brauchte man (zunächst) auch keines. Wenn Vater oder die anderen Bauern aus dem Dorf etwas benötigten oder reparieren ließen, wurde kaum nach dem Preis gefragt.
Nein, der Schmied notierte es in sein großes Buch, das auf der Fensterbank in der Werkstatt lag. Am Jahresende, so zwischen Weihnachten und Neujahr, schrieb er dann handschriftlich und zwar mit Tinte seine Jahresrechnung. Was nicht auf die Vorderseite passte, wurde, um Papier zu sparen, auf die Rückseite des Rechnungsscheines vermerkt.
Das mit dem Bezahlen hatte Zeit, ja, es waren eben noch die 50-er Jahre. Da ging es gemütlicher zu.
Auch für uns Nachbarsbuben nahm sich der Dorfschmied immer wieder mal Zeit. Er prägte uns schon als Kinder den alten Spruch ein: „Schmied, Schmied, nimm dein Hämmerla mied; wenn du wilscht a' Gäula (Pferd) beschlagen, musst dein Hämmerla bei dir haben"!
Doch einmal nahm unser allseits geschätzter Nachbar und Hufschmied diesen Spruch mit dem Hammer allzu wörtlich. Unser Hauptlehrer, der gefürchtete Manfred hatte ihn zu sehr geärgert. Was es genau war, konnten wir zu unserem Bedauern nie erfahren. So kam der Schmied erbost in die Schule, schimpfte und fuchtelte mit dem großen Schmiedehammer ganz wild herum. Der Lehrer wurde zusehends bleicher, nervöser und hatte so richtig Angst. Das gefiel uns allen, denn Schadenfreude ist immer noch die reinste Freude.
Fortan wurden wir Kinder vom Manfred etwas freundlicher behan-

delt. Doch um die Dorfschmiede machte der strenge Lehrer einen großen Bogen! Sein uraltes Fahrrad ließ er ab sofort im Nachbardorf reparieren.
Unser Schmied handelte auch mit wunderschönen Fahrrädern. Diese mussten jedoch sofort nach Lieferung bezahlt werden. So bekam mein Bruder Fritz von ihm ein schmuckes, teures Fahrrad der Marke Meister, das wir alle bestaunten. Manchmal durfte ich sogar damit fahren, aber das kam selten vor. Meistens »rutschte« ich als der Jüngste mit Großmutters uraltem Fahrrad herum, das wir auf dem Speicher gefunden hatten.
Doch die Ersatzteile hierfür bekamen wir vom Schmied auf Kredit, das war doch auch schon etwas, oder?
Neulich stand ich wieder vor der Schmiede. Es ist alles noch so, wie es vor Jahrzehnten war. Sogar die große, schwarze Holztafel mit weißer Aufschrift: »Huf- und Wagenschmiede« hängt noch über dem alten Eingangstor.
Aber den Schmied gibt's nicht mehr. Die munteren Hammerschläge sind längst verklungen. Amboss, Esse, Werkbank, alles bleibt wohl weiterhin spinnwebenverhangen. Doch in unseren Gedanken und Träumen lebt der Dorfschmied weiter!

Mer söll's nit glääb....
Neuer Holzabfuhrweg am Gaiberg eröffnet »sagenhafte« Perspektive

von Dietrich Auth aus Neustadt

Vor etwas mehr als 60 Jahren, da setzt mein Erinnerungsvermögen an meine Kinderzeit in Neustadt bewusst ein. Mein von mir überaus geliebter Großvater, der Bilse-Fritz, lebte damals noch und er spielt dabei eine recht eindrucksvolle Rolle.

Alte Ansicht von Neustadt

Schon als Knirps durfte ich ihn oft begleiten, wenn er zum Gaiberg ging, um im dortigen Steinbruch Sandsteine und Platten zu brechen.

Der Aufstieg über den zum Main steil abfallenden Osthang führte auf etwa halbem Weg an einem »Naturdenkmal« vorbei; einem »Mordstrumm« Felsbrocken, der majestätisch aus dem Waldboden ragt, als sei er von Geisterhand dorthin gestellt worden.
Mein Opa Fritz, nie verlegen um eine Lebensweisheit oder einen tiefgründigen, manchmal auch hintergründigen Spruch, klärte mich auf.
„Bub“, so sagte er geheimnisvoll, „guck dir diesen Brocken an! Mit dem hat es eine ganz besondere Bewandtnis! Das ist kein gewöhnlicher Felsen; der dreht sich nämlich jedes Jahr, am Tag der Kreuzigung unseres Herrn, einmal um seine eigene Achse. Gegen Mittag, wenn das Karfreitagsgeläute aus unserer wunderschönen Pfarrkirche erschallt, dann kann man dieses großartige Ereignis mit eigenen Augen sehen! Ja, mer söll’s nit glääb...“, beteuerte er mit ernster und höchst glaubwürdiger Miene.
Immer wieder, beinahe jedes Jahr, habe ich mir vorgenommen, am Karfreitag auf den Gaiberg zu steigen, um beim Ruf der Glocken des schier Unglaublichen zu harren.
Aber, wie das halt so geht, immer kam »Öbbes« dazwischen.
Der alte Weg verfiel und verwilderte mehr und mehr und der sagenumwobene Felsbrocken schlummerte unbeachtet und leise vor sich hin.
Das hat sich geändert! Dort, wo sich der neue Holzabfuhrweg in Richtung »Gäberchsförscht« mit dem alten Weg kreuzt, kann man ihn, den sagenhaften »Karfreitagsstein«, jetzt wieder ohne Mühe erwandern und bestaunen. Ein Spaziergang lohnt sich allemal! Vielleicht klappt’s ja schon am nächsten Karfreitag!
Weil man aber nicht weiß, wann’s am Karfreitag nun endlich anfängt zu läuten, muss man sich eventuell auf eine längere Wartezeit einrichten.

Es empfiehlt sich deshalb, neben passendem Schuhwerk und geeigneter Bekleidung (am Karfreitag reents als garn) auch ein »Vasper« mitzunehmen. Aber bitte: kein Flääsch und keine Wuurscht, wegen dem Fasten- und Abstinenzgebot! „Mir wüsse ja schließlich, was sich g'hört!!!" Geeignet wären zum Beispiel »Keäs und Matte«.

Blick auf Neustadt

Damit keine Falschinterpretationen aufkommen: Die »Matte« ist kein teppichähnliches Ding; Matte ist vielmehr eine beliebte und sehr bekömmliche Speise, geläufig auch unter der Bezeichnung »Quark« (domit hön mir Lausbube früher aa die jung Krackli g'füttert).

Also, wer den Aufstieg am Karfreitag wagt, dem sei Glück und Erfolg beschieden.

Schwein gehabt - Eine Hausschlachtung mit Hindernissen

von Waldemar Wolf aus Leinach

In früherer Zeit war es allenthalben üblich, dass nahezu in jedem Haushalt auf dem flachen Land ein Schwein gehalten wurde. Es wurde im zeitigen Frühjahr als Ferkel gekauft und bis zum Herbst gemästet. Als Futter dienten zunächst die Küchenabfälle, minderes Getreide und kleine bzw. beschädigte Kartoffelknollen aus der eigenen Ernte. Damals wurde nichts weggeworfen und so kann man mit Fug und Recht behaupten, dass damals die Schweine ein gewisser Ersatz für die heutige »Bioabfalltonne« waren.

Schlachttag in der Wurstküche ca. 1955. Das Kesselfleisch schmeckte jedermann!

In dieser Zeit waren Lebensmittel knapp und kontingentiert. Sie durften nur auf die zugeteilten Lebensmittelmarken abgegeben werden. Besonders knapp waren Fleisch und Wurst und so wird

auch verständlich, dass ein Schlachttag oft zu einem kleinen Fest ausartete, denn an diesem und den folgenden Tagen war Mutter nicht ganz so sparsam mit der Wurst- oder Fleischportion und dieser Umstand musste doch gebührend Beachtung finden.
Auch wir hatten unser Hausschwein und warteten sehnsüchtig auf den Tag, an welchem das Schlachtfest starten sollte. Dann war es endlich soweit. Es war kurz vor Kirchweih. Große Ereignisse werfen ihre Schatten voraus. Der Schlachttermin war auf der Gemeinde, beim Fleischbeschauer und dem Hausmetzger angemeldet. Schon Tage vorher herrschte geschäftiges Treiben in unserem Haus. Töpfe, Eimer, Schüsseln, Schneidbretter und Wurstkessel wurden einer gründlichen Reinigung unterzogen. In diesen Tagen kam dann der Fleischbeschauer, es war der »Kapperlesadels Leo« auf deutsch: der Klüpfels Leo, ein strenger Mann, der keinen Widerspruch duldete. Er führte die »Lebendbeschau« bei unserem Schwein durch und befand es als gesund, also konnte der Schlachttermin kommen.
Am Tage vorher fuhr mein Vater frühmorgens zeitig nach Würzburg in den Schlachthof. In seinem Rucksack hatte er einige Flaschen Wein eingepackt, denn ohne »Naturalien« lief damals nichts. Als mein Vater am Nachmittag zurückkehrte, hatte er eine Kanne mit Blut und den ganzen Rucksack voller Därme und sonstiger Fleischteile dabei. Mir ist noch gut in Erinnerung, dass er stets einige Kuheuter mitbrachte, die gekocht, geschnitten und zu Blutwurst verarbeitet wurden.
Nun war es soweit. Frühmorgens zeitig waren wir alle auf den Beinen und bald kochte das Wasser. Dann kam der Hausmetzger. Bei uns war es der »Schmiedsfranzakapper« auf deutsch: der Kaspar Bauer. Ihm ging der Ruf voraus, dass er eine sagenhaft gute Wurst zu machen verstand und heute noch schwärmt die ältere Generation von diesen delikaten Wursterzeugnissen.

Oftmals wurden sie kopiert, aber nie erreicht!

Nun sollte das große Ereignis beginnen. Mutter stand mit der Schüssel und einem Kochlöffel bereit. Ihre Aufgabe war es, das frische Blut schnell und kräftig zu schlagen, damit es nicht gerinnen konnte. Vater hatte einen dicken Strick, den er im Stall dem Schwein um den Hinterlauf festband. Dann wurde das Schwein unter heftigem Grunzen und vielen Streicheleinheiten aus seinem Stall geführt und Vater befestigte den Strick an einem Ring, welcher zu diesem Zweck in die Hausmauer einzementiert war. Nun trat Kaspar, der Metzger, von hinten an das Schwein heran und wollte seinen Schussapparat ansetzen. In diesem Augenblick aber schoss das Schwein unter heftigem Quiken nach vorne, riss den Ring aus der Mauer und durchquerte in Windeseile unseren Hof. Selbst das Hoftor konnte seinen Lauf nicht bremsen und die Türe sprang auf, als das Schwein dagegen prallte. Nun war es frei und rannte auf die Straße, bog in die Schulzengasse ein und wir alle hinterher. Es muss ein Bild für die Götter gewesen sein. Aber nun machte das Schwein einen entscheidenten Fehler, es rannte nämlich in einen geöffneten Hof und dort war sein Schicksal besiegelt. Wir konnten es mit vereinten Kräften einfangen und mit gutem Zureden und vielen Streicheleinheiten wieder zurück an die »Schlachtbank« führen und dort erfüllte sich sein Schicksal und der Schlachttag begann mit einer Verzögerung. Es wurde dann doch noch ein fröhliches und genussreiches Schlachtfest und gelegentlich wurde über die »Flucht« des Schweines auch gewitzelt.

Bald war die Kochwurst im Kessel und der Metzger stellte die so sehr begehrten »Thüngersheimer Knackwürste« her. Ich passte dabei besonders gut auf und merkte mir einigermaßen die Rezeptur.

Für alle Interessenten das Rezept der »Düngerscher Gnaogg-wüascht«:

2/3 Schweinebug und 1/3 Schweinebauch (ohne Schwarte und Knochen) werden in größere Würfel geschnitten und in eine entsprechend große Schüssel gelegt. Dort werden sie mit Kochsalz und einer kleinen Menge Konservensalz, Pfeffer und je einer Prise Muskat und Nelke gewürzt. Dazu kommt noch eine zerdrückte Knoblauchzehe und eine Tasse trockener Frankenwein. Das Ganze wird vermischt und sollte dann einige Zeit ruhen. Dann wird das Fleisch durch die mittlere Scheibe des Fleischwolfs gedreht. Dabei ist zu beachten, dass das Messer der Maschine gut scharf ist. Keinesfall darf das Fleisch durch die Scheibe gedrückt werden. Anschließend wird das gemahlene Fleisch vermengt und abgeschmeckt. Dabei ist zu beachten, dass die Masse nur untergehoben und nicht geknetet wird. Anschließend wird der Wursteig in entsprechende Därme gefüllt und die einzelnen Würste abgebunden.

Die Würste werden zubereitet, indem man sie in einen Topf mit siedendem Wasser legt und ca. 15-20 Minuten ziehen lässt. Eine gute Thüngersheimer Knackwurst braucht außer Brot keine Beilage. Ihr Geschmack verzaubert den Gaumen des Genießers am besten pur!

Das Krautbeet und die Dorfstraße

von Walter Langohr aus Marktheidenfeld

Direkt am Dorfrand, auf einem besonders fruchtbaren Boden, gleich neben dem »Hegenweiher« war das Krautbeet. Alle Bauern, aber auch alle Flüchtlingsfamilien, hatten hier ein kleines, schmales Stück Acker zugeteilt bekommen und zwar kostenlos. Die Familien pflanzten hier ihr Gemüse an.

Kuhfuhrwerke gehörten in den Vierziger und Fünfziger Jahren zum Ortsbild; hier unser Gemeindediener, der alte Molker, beim Jauche fahren

Es wuchsen dort nicht nur Krautköpfe, sondern auch Mohn, Tomaten, Gurken, Karotten und Zuckererbsen. Ja, man konnte hier alles anpflanzen, was das Herz begehrte, und dort bei unserem relativ rauen Klima eben wachsen konnte.

Im Sommer, wenn es heiß war, trafen sich abends viele, um Wasser

mit den Gießkannen aus dem nahen Hegenweiher zu holen und das Gemüse zu gießen. Düngemittel gab es kaum zu kaufen. Außerdem hätte auch das Geld dazu gefehlt.
Wir Landwirte düngten das Krautbeet natürlich mit Stallmist und Jauche. Das hatten die Heimatvertriebenen nicht. Trotzdem ernteten die »Zugereisten« immer die dicksten Kartoffeln, Krautköpfe und Tomaten. Warum? Es war Aufgabe der Familienoberhäupter oder des Opas, im Frühjahr oder Herbst die Gruben der »Örtchen« im Dorf zu leeren und damit das Gemüsebeet zu düngen. Das war zwar kostenlos, aber eine recht »anrüchige« Sache. Der Transport dieses bewährten Gartendüngers erfolgte mittels Eimern, die man auf einen Handleiterwagen stellte und zum Krautbeet zog - ebenfalls von Hand. Diese Arbeit war zwar sehr mühevoll und unangenehm, doch die Versorgung mit Gemüse und auch teilweise Obst war dadurch für das ganze Jahr und zwar fast kostenlos gesichert.
Die größten Gurken, dicksten Kartoffeln und mächtigsten Kürbisse hatte generell Herr van den Bergh. Er war ehemals ein reicher Mann gewesen und hatte im Nordosten Deutschlands eine eigene Fabrik gehabt. Diese wurde gegen Kriegsende zerstört. Er musste fliehen und landete letztendlich samt Familie bei uns auf dem Dorf in Sinbronn. Er lebte wie viele andere Flüchtlingsfamilien in ärmsten Verhältnissen.
Van den Bergh war trotzdem eine beeindruckende Persönlichkeit. Er war um die 60, groß, dick und lustig. Er trug fast immer eine kurze Lederhose. „Mit Humor lässt sich alles besser ertragen", das war seine Devise. Morgens, mittags und abends war er fast immer auf der Dorfstraße unterwegs, bewaffnet mit Eimer, Schaufel und Besen. Wenn ein Pferdewagen durch den Ort fuhr, war Herr van den Bergh schon zur Stelle und sammelte die »Hinterlassenschaft« dieser Fuhrwerke auf. Ja, er hatte sich regelrecht das Monopol ange-

eignet für das Einsammeln sämtlicher »Rossbollen«, wie wir im Dialekt die Pferdeäpfel nannten.
Stets begleitete ihn sein Ziegenbock namens »Rudi«, der auf der Dorfstraße manchmal wahre Bocksprünge vollführte und recht eigenartige Gerüche ausströmte. Wenn van den Bergh, dieser große und kräftige Mann, sich mühevoll auf der Straße bückte, um Dung einzusammeln, dann dröhnte es oft gewaltig. Offensichtlich litt er an starken Blähungen, denn er ernährte sich fast nur von seinem selbst produzierten, faserreichen Gemüse.

Alte Ansichtskarte von Sinbronn

Er drapierte regelrecht die eingesammelten Pferdeäpfel um die einzelnen Pflanzen herum und deckte diese mit humusreicher Erde ab, egal, ob es sich um Gurken, Kürbisse oder Kraut handelte. Zeit hatte van den Bergh genug. Der Erfolg rechtfertigte diese Mühe. Ja, er war in dieser Notzeit der König aller Kleingärtner, und der Tisch seiner Familie war das ganze Jahr über reichlich mit Biokost aus eigenem Anbau gedeckt.

Immer mehr entwickelten sich aus den einfachen Krautbeeten idyllische Schrebergärten. Im Sommer fanden sogar bei gutem Wetter Sonntag nachmittags öfter einmal Gartenfeste statt. Einige Heimatvertriebene konnten gut Gitarre oder Mandoline spielen. Dazu sangen sie schöne, sehnsuchtsvolle Lieder aus ihrer verlorenen Heimat. Manchmal kamen sogar aus Nachbarorten ein richtiger Bauchredner mit Puppe oder ein Komiker namens Loisl, der uns alle zum Lachen brachte. Somit war für uns Dorfkinder immer wieder Abwechslung geboten. Und es kostete kein Geld.

Die Dorfstraßen waren damals Ende der Vierziger und Anfang der Fünfziger Jahre noch nicht geteert. Dadurch war die Staubbildung im Sommer groß. Umgekehrt bildete sich im Winterhalbjahr oft Schlamm auf den Straßen. Und in den Löchern stand bei Regenwetter dreckiges Wasser. Am schönsten und romantischsten war es im Winter, wenn alles zugeschneit war und die Dorfweiher zufroren. Wir fuhren dann mit unseren Schlittschuhen - ähnlich wie heute mit Inline-Skates - von Dorf zu Dorf. Die Straßen, spiegelglatt von Schnee und Eis, wurden nur selten gestreut. Auf den zugefrorenen Dorfweihern spielten alle Kinder, egal ob Buben oder Mädchen, Eishockey. Die Schläger für das Spiel hatten wir uns aus Ästen oder Heckenstecken gebastelt. Zur Erledigung der Hausaufgaben war nur abends Zeit. Das ärgerte natürlich unsere Lehrer. Aber sie mussten sich damit abfinden.

Chronologie eines Landwirtschaftsjahres

von Josef Orth aus Rothenbuch

Noch ehe die Sonne eines neues Tages heraufleuchtete, begann es sich in den Höfen und Ställen des Dorfes zu regen. Das Viehzeug musste nach der Nachtruhe versorgt werden und Männlein und Weiblein waren emsig dabei, Vorbereitungen für den Arbeitsablauf des Tages zu treffen. Entsprechend der Jahreszeit waren das natürlich immer unterschiedliche Maßnahmen.

Im Frühjahr wurde mit dem Pferdegespann und einer Egge das Feld für die Aussaat bestellt

Im Frühjahr war das meistens so, dass die Kühe wieder an das Fahren gewöhnt werden mussten. Da ging es oft recht lebhaft zu, denn

die ausgeruhten Tiere waren recht störrisch und wild. Die ersten Arbeiten waren dann zunächst die Sudel (Jauche) ausbringen und das Rechtholz (Brennholz) für den kommenden Winter einfahren. Dazu wurden die Wagen zusammengestellt und gerichtet und nötige Reparaturen vorgenommen.
Auf den Feldern begannen die Vorbereitungen für die Aussaat von Hafer und das Legen der Kartoffeln. Für den Hafer wurden Altkleeäcker gepflügt und die Saat untergeeggt. Kartoffeln kamen auf die Äcker, auf denen im Vorjahr Getreide stand. Hier war zunächst der Stallmist anzufahren, der dann beim Legen der Kartoffeln mit untergepflügt wurde.
Nach den Eisheiligen, die ja im Spessart meistens noch Nachtfröste bringen, war das Gartenland zu bestellen, die Kartoffeln zu brochen (jäten) und bald war das erste Gras zum Grünfutter herangewachsen.
Die Zeit der Heuernte nahte heran; doch vorher waren noch die Köhl (Runkelrüben) zu setzen, die man zum Teil selbst ausgesät hatte oder aber aus der Gegend um Hösbach beziehen musste.
So kam der Sommer ins Land. Saftige Wiesen schmückten die Flur zwischen Korn, Hafer und Kartoffeläckern. Es war ein Zirpen, Pfeifen und Singen in der Luft und überall war Leben und Treiben der Insekten, Käfer und Schmetterlinge sowie der Vogelwelt, wie man es in seiner Schönheit kaum beschreiben kann.
Die Heuernte begann meistens nach Fronleichnam und war eine unerhört harte Arbeit. Um drei Uhr in der Frühe war man meistens schon dabei, Gras zu mähen, denn alle Arbeit musste von Hand verrichtet werden. Wenn das Gras zum Trocknen ausgebreitet war, wurde es am Nachmittag gewendet und konnte bei schönem Wetter als Heu am nächsten Tag eingefahren werden. Zwischendurch musste natürlich auch wieder Grünfutter für die Kühe geholt wer-

den, so dass zum Ausruhen wenig Zeit verblieb.
Das ging dann zwei bis drei Wochen so. In manchen Jahren, wenn es der Wettergott nicht so gut meinte, haben die Leute das Gras vom Wiesengrund auf das Feld gefahren, um nicht immer die langen Wege in den Hafenlohrgrund machen zu müssen. Die Heuernte im Wiesengrund war ohnehin sehr beschwerlich, denn oft musste das Heu aus den Wiesen getragen werden, weil diese nicht befahrbar waren. Dieser Umstand hat meinen Vater bewogen, seine Wiesen im Hafenlohrtal zu verkaufen und sich dafür Ackerwiesen zu beschaffen.
Im Zusammenhang mit einer solchen Heuernte im Wiesengrund möchte ich von einem Erlebnis meines Vaters erzählen, das ihm dort widerfuhr, als seine Pferde auf ebener Wiese eine Fuhre Heu nicht von der Stelle brachten. Auf einer Nachbarswiese war eine Frau beim Heu wenden. Als diese die Unschicklichkeit bemerkte, kam sie zu Hilfe und sagte: „Gustav, wenn ich de ni helf, kümmste doch ni weg!“ Sie hat nur leicht anschieben geholfen und das Fuhrwerk bewegte sich mit Karacho von der Stelle.
Mein Vater war ein gläubiger Mensch und hat bestimmt nicht an Hexen geglaubt, auch nicht bei anderen ähnlichen Begebenheiten, aber eine Erklärung ist ihm auch nicht eingefallen. Der Frau aber hat man Übersinnliches nachgesagt, das sogar vererb- oder übertragbar war.
Die Rätsel jener Zeit haben sich nie aufklären lassen; sie waren ein Teil der Kommunikation bis hin in die Nachbardörfer. Der Lauf der Zeit hat sie in die Vergessenheit mitgenommen.
Die Heuernte hatte auch schöne Zeiten, besonders für uns Jungen. In der Frühe durften wir dem Vater und den älteren Geschwistern den Kaffee bringen. Dazu gab es meistens frische Brötchen, die einfach himmlisch schmeckten. Die Schulferien waren meistens so ein-

geteilt, dass es zur Heuernte drei Wochen und zur Kartoffelernte vier Wochen schulfrei gab. Nach den anstrengenden Wochen begann eine etwas unbeschwerlichere Zeit. Natürlich war immer etwas zu richten und instand zu setzen und ehe man sich's versah, war auch schon das Korn herangereift.
Zunächst aber war für uns Kinder eine andere Ernte angesagt; es war nämlich Heidelbeersaison. In bestimmten Waldabteilungen gab es zu unserer Zeit fast jährlich Unmengen Heidelbeeren zu pflücken, und was man nicht für die eigene Familie brauchte, konnte man bei einem Sammler verkaufen. Die Tage der Gemeinschaft in der freien Natur und besonders im Wald sind mir unvergesslich geblieben.
Die Getreideernte im Juli und August war wohl das wichtigste Ereignis des Jahres, denn ein gutes Brot setzt eine gute Ernte voraus. Die einzelnen Garben wurden zu Haufen aufgestellt, damit Halme und Körner gut trocknen konnten. Nach dem Einfahren begann auch schon der Haferschnitt. Der Hafer wurde zum Trocknen ausgebreitet und dann erst gebündelt. Wenn alles schön in der Scheune war, wurden die Stoppeläcker umgepflügt und bald begannen die Vorbereitungen für die Grummeternte (2. Heuernte). Mit ihr hatte der Sommer seinen Höhepunkt erreicht. Die Tage wurden kürzer und die Nächte kühler.
Kartoffeln und Rüben setzten den Schlusspunkt für eine harte und nicht immer segensreiche Arbeit. Wenn dicke Rauchschwaden über die Felder zogen, dann war die Zeit der großen Schulferien gekommen. Alle Arbeitsfähigen in den Familien wurden gebraucht, um die letzte Ernte einzubringen. Für uns Kinder war es immer ein besonderes Ereignis, wenn auf dem Feld gegessen und Kaffee getrunken wurde. Kaum waren die Kartoffeläcker geräumt, da wurde auch schon wieder das Korn für das nächste Jahr gesät, nachdem vorher

mühselig der Stallmist angefahren und untergepflügt worden war. Wenn ein schöner Herbst ins Jahr stand, dann boten die letzten Sonntage noch meistens lustige Stunden in der Natur, wo die Kühe auf die Weiden getrieben und bei kleinen Feuern Kartoffeln gebraten und die letzten Äpfel von den Bäumen gestoppelt wurden.
In den meisten Familien wurde die Hauptlast der Arbeiten von den Frauen getragen, denn die Männer waren in der Fremde, um für den Unterhalt der Familie Geld zu verdienen. In manchen Familien war es sogar so, dass ein großer Teil des Geldes in die Landwirtschaft gesteckt wurde.

Gute Ernte - Wagen und Hänger sind voll mit Rüben

Wenn man bedenkt, dass Wiesengrundstücke im Hafenlohrtal 1000 RM (Reichsmark) und mehr kosteten, dann war das für die damalige Zeit eine enorme Investition.

Die Wiesen im Tal waren aber für viele lebensnotwendig, weil es dort auch in schlechten Jahren Futter für das Vieh gab.
Beim Lesen dieser Erinnerungen könnte der Eindruck entstehen, dass die damalige Zeit eine sehr glückliche war. Sie wäre es sicherlich gewesen, wenn die Menschen mehr Mittel für persönliche Bedürfnisse, den Lebensunterhalt und auch die Wohnkultur gehabt hätten.
Wer nie als Treiber beim Pflügen eines Ackers tätig war, kann nicht ermessen, wie lange ein Vormittag dauerte, wenn die Kühe Furche um Furche hin- und hergequält wurden, einem selbst die Spucke im Mund vertrocknete, und dann die letzte Furche wie eine Erlösung vorkam.
Wenn der Segen auf den Feldern ausblieb, ein Schwein verendete oder sogar eine Kuh abgeschafft werden musste, dann war die Not grausam in den Familien. Aus Erzählungen älterer Mitbürger ist bekannt, dass es in deren Kindheit manchmal so schlecht war, dass man die gesamte Kartoffelernte mit einem Heutuch (ca. 1,50 x 1,50 m) hätte abdecken können und dass das Brot weggeschlossen wurde, um über die Zeit zu kommen. Es gab Jahre, wo ein Kornfeld nur ein Sechstel des Ertrages brachte als in früherer und späterer Bewirtschaftung. Auch für das Viehzeug waren solche Jahre ein Siechtum; es wurde an Vorkommnisse erinnert, wo die Kühe so schwach waren, dass sie nicht mehr auf den Beinen stehen konnten.
Die Armut im Spessart war erbarmungslos, aber der Wille zum Leben hat die Menschen befähigt, ihr schweres Los zu meistern.

Der Fotograf kommt

von Dora Heinlein aus Thüngersheim

Es sind mehr als 70 Jahre vergangen seit der Entstehung dieses Fotos. 1927 war es, als unsere Familie noch so jugendlich aussah! Das war noch ganz anders als heute, wo schon jedes Kind einen tollen Fotoapparat besitzt. Darum erinnere ich mich auch so gut des Spektakels bei der Entstehung dieses Bildes.

Mehr als 70 Jahre ist es her, als dieses Familienfoto entstand

Unser Vater, modern eingestellt, wollte seine junge Familie verewigen lassen, darum bestellte er an einem schönen Nachmittag einen Fotografen. Wir wohnten damals noch in Neuburg a.d. Donau in einem großen dreistöckigen Mietshaus. Wir Kinder, damals noch drei, wurden schön gewaschen und gekämmt, mussten unsere Sonntagskleidchen anziehen und wurden mit Vater und Mutter vor einer Art »Tapetenwand« aufgebaut.

Die Sonntagskleider, von Mutter selbst genäht, dazu noch lange weiße Strümpfe, die mit Strapsen am »Leibchen« befestigt waren, liebte ich nicht sehr. Da musste man immer aufpassen, dass ja nichts verschmutzte oder gar zerriss, durfte also auf keinen Fall herumrennen! Am meisten Kummer machten mir die Haarschleifen; wie schnell gingen sie beim Spielen verloren! Bei der kleinsten Streiterei war der erste feindliche Griff nach diesem Schmuckstück. Es wurde einem heruntergerissen und flog im hohen Bogen in den Dreck. Dafür gab es daheim dann Schelte, ein Mädchen hatte eben schön artig zu sein ...

Unser Fotograf hatte uns also ordentlich aufgereiht. „Ein bisschen freundlich gucken!“ Er zählte dann bis 7 oder 10, ich weiß es nicht mehr, so lange mussten wir still halten. Die ganze Zeit war er hinter einem Kasten, der mit einem schwarzen Tuch verdeckt war, verschwunden.

Dann endlich »Knips« und fertig war's. Es ist ja auch ein hübsches Bild geworden.

Woran ich mich aber am meisten erinnere, war die Schau, die wir ungewollt abzogen. In unserem Haus gab es viele Familien mit sehr vielen Kindern. Die kriegten das alle mit und überall schauten Köpfe aus den Fenstern. Hinter unserem Fotografen hatte sich eine große Kinderschar versammelt, die mit Spannung das Geschehen verfolgte.

Wir waren also die Darsteller auf der Bühne und hatten unser Publikum. Das war interessant, es hatte ja damals keiner Radio oder Fernsehen.

Am meisten hat es wohl unser kleiner Bruder genossen, wie man sieht. Für mich vergingen noch mehrere Jahre, bis ich mein erstes Geld verdiente und mir einen eigenen kleinen »Knipskasten« leisten konnte.

Kleine und große Wäsche

von Doris Koblinger aus Gemünden

Der Mensch ist ein Gewohnheitstier. Neues und Angenehmes wird schnell angenommen. So auch die morgendliche Dusche, sie gehört zum absoluten Muss. Sich täglich von Kopf bis Fuß frisch anzuziehen, ist für uns selbstverständlich geworden - Zähneputzen, unter fließendem Wasser, wird als das Normalste der Welt erledigt. Nicht zu vergessen der Blick in den Spiegel. Das Make up muss perfekt aufgetragen sein. Hygiene wird großgeschrieben. Nur so, glauben wir, ist der stressige Alltag zu bewältigen. Eine voll elektronische Waschmaschine mit dem dazugehörenden Pflegemittel erledigt die täglich anfallende Wäsche so ganz nebenbei. Wäschetrockner ersetzen größtenteils das Bügeleisen. So bleibt dir viel Freizeit und Erholung.

Reklamemarken der Firma Sunlicht zeigen die Werbung für die Seife, wie sie für einen Waschtag nötig war.

Warum sich über die hohe Wasserrechnung ärgern, wenn es halt so bequem ist. Der Mensch ist ein Gewohnheitstier. Warum das alles aufgeben. Was sein muss, muss sein. Die heutige Zeit zu kritisieren, wer will das schon. Jedes Jahrhundert durchlebt seine Zeit.
Was sein muss, muss sein, haben auch meine Eltern in den 50-er und 60-er Jahren gedacht.
Das Leben war hart und entbehrungsreich - viele Städte und Dörfer wurden im 2. Weltkrieg zerstört. Der Wiederaufbau stand im Vordergrund. Unsere Wohnung war eine Holzbaracke, weil unser Haus zerbombt war. Ein neues Haus war in Planung und sollte 1952 fertig sein. 1949, mein Bruder ging zur 1. hl. Kommunion, kam unser Vater aus der Gefangenschaft heim. Unsere Mutter war bis zu der Zeit mit 3 Kindern allein.
Des nachts hörten wir die Nähmaschine rattern, unsere Mutter nähte Hosen für meine Brüder oder für mich neue Kleider. Aus Alt mach Neu, die Not macht erfinderisch. Ganz bedürftige Familien bekamen sogenannte Carepakete mit Kleidern und Lebensmitteln. Schulkinder erhielten Schulspeisung. Barfuß-Laufen vom Frühjahr bis spät in den Herbst war normal. Für die kalte Jahreszeit strickten Oma und Mama Strümpfe. Noch bevor wir zur Schule gingen, konnten wir das auch. Unsere Bekleidung wurde gehütet wie ein Schatz. Jeder Fleck oder kleine Riss war schlimmer als ein Beinbruch. Sie musste doch Generationen aushalten; nichts wurde weggeworfen.
Jeden Samstagnachmittag war Badetag für Groß und Klein, Alt und Jung. In eine ovale Blechwanne, reichlich mit warmem Wasser gefüllt, zu steigen, war das Schönste was es gab. Alle 4 Kinder hatten darin Platz. Wir brauchten kein Badezimmer, uns reichte unsere warme Küche. Ein riesengroßes Badetuch hat uns reichlich eingehüllt und getrocknet, einer nach dem anderen. Wer sich denkt, dass das Wasser gewechselt wurde, der irrt sich gewaltig. Abends, wenn

wir im Bett lagen, nahmen die Eltern darin auch ein Bad. Nichts wurde vergeudet. Übers Wochenende weichte unsere Mutter die stark verschmutzte Arbeitskleidung im selben Wasser ein. An den anderen Wochentagen haben wir Gesicht, Hände und Füße in der Waschschüssel gereinigt. Viele fragen sich, wie konnte man nur so leben? Unser Immunsystem hat gut funktioniert, wir waren nie ernsthaft krank.

Eine Waschmaschine war ein Fremdwort. Unsere Mutter erhitzte das Wasser in einem großen Topf auf dem Küchenherd, mit Holz geschürt. Dahinein kam die Wäsche mit samt dem Waschpulver. Um alles sauber zu bekommen, schrubbte sie mit der Bürste die Wäsche sauber. Statt eines Wäschetrockners wurden Seile in der Küche aufgespannt. Im Nu war alles trocken.

Ab 1950 waren wir zu viert, eine kleine Schwester gesellte sich zu uns. Die Aufgabe des Babysitters fiel auf mich. Dazu gehörte Fläschchen geben, Windeln wechseln und spazieren fahren. Ihr Schlafzimmer war mein Bett, das ich mit ihr teilen durfte. 2 Betten standen darin, eins für meine Brüder und eins für uns zwei.

Ab 1952, als unser neues Haus fertig war, hatten die Buben und wir getrennte Schlafzimmer. Ein nagelneues Badezimmer wartete auf seine Benutzer. In einem Nebenbau war die nagelneue Waschküche mit einem großen Kessel und einem riesengroßen Tisch. Das bedeutete Arbeitserleichterung. So 4 Mal im Jahr war großer Waschtag. Im kräftig angeheizten Kessel kochte die weiße Wäsche. Weiße Dampfschwaden quollen aus dem Türspalt nach draußen. Das Waschbrett nebst ovaler Blechwanne wartete auf seinen Einsatz. Die kochende Wäsche landete in der großen Wanne und mit dem Waschbrett wurde sie gründlich durchgeschrubbt. Alles was Beine hatte half beim Auswringen. Die Spülgänge, wie Wasser erneuern, Wäsche rein, Wäsche raus, bis alle Waschmittelreste ent-

fernt waren, war Knochenarbeit. Strahlend weiße Wäsche war der Stolz jeder Hausfrau. Ein Bad im heißen Silwasser rundete die harte Arbeit ab.
An heißen Sommertagen durfte die Wäsche auf dem Rasen trocknen.
Eine Anekdote so nebenbei: Gänsegeschnatter in der Nähe des Rasens machte unsere Mutter hellhörig. Ein Blick aus dem Fenster und ein Schrei. Die Gänse sind drüber marschiert. Gott sei Dank ist nicht viel passiert. An regenfreien Tagen flatterte die Wäsche, an Seile geklammert, im Wind. Das war der ideale Spielplatz für uns. Den langen Wäscheleinen entlang versuchten wir uns gegenseitig zu fangen. In den kalten Wintermonaten dienten der Dachboden und die Küche als Trockenplatz.
Das Bügeln war eine Prozedur für sich. Unser Bügeleisen hatte keinen Stromanschluss, sondern glühende Kohlen sorgten für die nötige Wärme.
Zum Schluss war alles leichter, da wurde es nur auf dem Kohlenofen erhitzt. Ein mit Holz verkleideter Griff sorgte dafür, dass man sich nicht verbrannte, denn es war aus Eisen und musste ständig mit neuer Kohle versorgt werden.
Einen stressigen Alltag wie er sich heute gestaltet, kannten unsere Eltern nicht. Das Leben verlief einfach und arbeitsreich. Der Blick richtete sich in die Zukunft; die Kinder sollen es einmal besser haben. Es fragt sich nur, ist das Leben in der heutigen Zeit leichter geworden???
Oder sagen wir auch, unsere Kinder sollen es besser haben!!!
Nicht nur bei uns lief es so ab, sondern auch in tausenden anderer Haushalte war es so.

Mit dem Fahrrad nach Burgsinn

von Christa Ziss aus Schwanfeld

„Marion beeil dich!“ rief Katrin ungeduldig über die Straße. „Ich komme ja schon“, antwortete Marion, die gerade ein altes Fahrrad über eine Kreuzung in der Gemündener Altstadt schob. Katrin zeigte ihr die Radwanderkarte.

Der Marktplatz in Gemünden in den 50er Jahren

„Sieht doch gar nicht so schwierig aus.“
„Na, du wirst dich noch wundern“, grinste Katrin und gab das Startzeichen zum Losfahren.
Natur wie aus dem Bilderbuch: Von links und rechts krochen Hahnenfuß und Hopfenklee auf den Weg. Freundliche Kühe glotzten übers Gatter. Schöner konnte es nicht sein, bis plötzlich eine Stimme von hinten „Bahn frei“ dröhnte und ein Trupp Senioren pfeilschnell an ihnen vorüberschoss. „Wir sind hier nicht bei der Tour de

France!“ schimpfte Marion der Staubwolke hinterher und in Katrins Richtung, „beim nächsten Rastplatz halten wir aber, sonst verdurste ich noch.“

So schlimm sollte es nicht kommen, denn schon nach zwei Kilometern wurde ihr dieser Wunsch erfüllt. Marion packte die Brotzeit aus, während Katrin ans Ufer der Sinn lief. Als sie zurück kam, hielt sie ein Mathematikbuch in der Hand und einen Studentenausweis für einen Thomas Ehlers, der offensichtlich beides verloren hatte. Liegen lassen oder mitnehmen? Marion war fürs Mitnehmen und stopfte alles in ihren Rucksack. Nach einer halben Stunde setzten sie sich wieder auf ihre Räder. Aber so flott wie am Vormittag kamen sie nicht mehr voran, der Radweg schlängelte sich nämlich wie eine Achterbahn durch den Spessart. Marion trat kräftig in die Pedalen, um mit Katrin mithalten zu können.

Nach einer Linkskurve tauchte ein rot-weißes Absperrungsband auf. Drei Männer mit Vermessungsgeräten kamen auf sie zu. „Grüß Gott, wo wollen Sie denn hin?“

„Nach Burgsinn!“

„Na, da müssen Sie drüben hinter der Bahn weiterfahren“, sagte der grauhaarige Mann in der Mitte. Die anderen taxierten Katrins Fahrrad.

„Nagelneu, nicht wahr?“

Dass Marion ihren alten Drahtesel ein bisschen vor den Männern versteckte, war ganz unnötig, da die jungen Kerle ohnehin nur Augen und Ohren für Katrin hatten, die pausenlos auf die Männer einquatschte. Gott sei Dank scheuchte der Grauhaarige seine Leute wieder an die Arbeit.

Marion drehte sich noch einmal um. In diesem Moment drückte ihr der blonde Arbeiter blitzschnell ein Stück Papier in die Hand. Sie war verblüfft. Was wollte der Typ von ihr? Der hatte sie ja überhaupt

nicht beachtet. Sie fuhr ganz langsam ..., es waren nur vier Worte: Neunzehn Uhr, Burgsinner Hof.
Sie gab Katrin den Zettel, die sofort loslachte: „Das ist ja komisch, da wollen wir doch auch hin“.
Es dauerte allerdings noch ein paar Stunden, ehe sie Burgsinn erreichten. Aber dann! So müde und erschöpft sie sich auch fühlten, Punkt neunzehn Uhr saßen sie in der besagten Wirtsstube. Und da kam das Trio auch schon durch die Tür. Die drei Männer setzten sich gut gelaunt an den Tisch der Mädchen. „Kein Zufall, oder?“ Gosbert schaute fragend auf seine Studenten Stefan und Thomas, die ihn zum Praktikumseinstand eingeladen hatten. Katrin und Marion sahen sich an. Thomas? Beide hatten den gleichen Gedanken. Sollte das etwa der Thomas Ehlers sein?
Er war es tatsächlich und maßlos erstaunt, wie aus heiterem Himmel sein Buch vor ihm lag, dessen Verschwinden er noch gar nicht bemerkt hatte. Außerdem hielt Katrin auch noch seinen Studentenausweis in die Höhe und bat scherzhaft um Finderlohn.
Und so ging es weiter. Die erfolgreiche Laborantin erzählte den Männern ununterbrochen Geschichten aus ihrem Klinikalltag in Würzburg. Marion saß still auf ihrem Platz. Mehr als das Wort Bankkauffrau hatte sie bisher nicht zur Unterhaltung beisteuern können. Nur Gosbert schien ihre unbehagliche Situation zu erkennen.
„Sie sitzen da wie's Schneewittchen“, flüsterte er ihr zu.
„Aschenputtel trifft's wohl eher“, flüsterte Marion zurück.
„Auf keinen Fall!“ protestierte Thomas, der trotz Katrins Redeschwall genau zugehört hatte, „Dornröschen passt besser, Dornröschen hat lange blonde Haare“.
„Na dann ist Katrin das Schneewittchen, so weiß wie Schnee und so schwarzhaarig wie Ebenholz“, sagte Stefan.
Marion sah, dass er sich ernsthaft um Katrin bemühte, die ihrerseits

mehr mit Thomas flirtete - oder doch mit beiden? Auch Marion fand Thomas sympathisch, aber sie saß so unglücklich am Rande des Tisches, dass sie nur selten Blickkontakt hatten.
Kurz vor Mitternacht brach Gosbert auf. Und in Windeseile waren auch die jungen Burschen verschwunden, ohne dass es zu einer Verabredung gekommen war. Die beiden Mädchen gingen ein wenig enttäuscht auf ihre Zimmer.
Der nächste Tag war ein Samstag. Die Weiterfahrt nach Mittel- und Obersinn wurde einstimmig gestrichen. Während der Rückfahrt schwiegen beide vor sich hin, überlegten, was wohl schief gelaufen sein könnte. Ein paar Kilometer hinter Burgsinn streikte Marions Vorderreifen. Mit der Luftpumpe allein war es aber nicht getan. Sie öffnete die kleine Satteltasche und fand neben ihrem Flickzeug einen Zettel mit bekannter Handschrift: Hallo Dornröschen! Zwanzig Uhr auf der Scherenburg in Gemünden? »Der Name der Rose« steht auf dem Programm. Treffpunkt Mühltorturm. Falls Hilfestellung beim Reifen flicken nötig ist, bitte folgende Handy-Nummer ... wählen. Thomas. Marion wusste nicht, ob sie lachen oder weinen sollte. Von wegen Hilfestellung! Mit grimmiger Miene machte sie sich ans Werk. Neugierig geworden, öffnete auch Katrin ihre Satteltasche und fand einen ähnlichen Zettel.
Hallo Schneewittchen! - Unterschrift Stefan.
Die Frage, welcher Reifen, erledigte sich zusehends, denn auch ihrem Vorderrad ging die Luft aus.
Katrin schimpfte am meisten. Was die Kerle sich bloß einbildeten, mutwillige Sachbeschädigung sei das gewesen.
Als dann aber am Mühltorturm die beiden Übeltäter verlegen herumstanden und sich gehörig entschuldigten, war der Zorn verraucht. Dem Besuch auf der Scherenburg stand nun nichts mehr im Wege. Und wer mit wem hatte sich längst geklärt.

Der Herbst ist da

von Paula Ullrich aus Obersfeld

Im altdeutschen Kalender nennt man den Monat September »Scheiding« weil sich der Sommer verabschiedet und der Herbst seinen Einzug hält. Die Fluren sind kahl und grau geworden, und der Wald freut sich über sein buntes Blätterkleid.

Handarbeit für die ganze Familie - Die Kartoffelernte

Früher war der Herbst die arbeitsreichste Jahreszeit, sie begann mit der Kartoffelernte und endete mit der Obsternte. Die Kartoffelernte dauerte mehrere Wochen, weil früher mehr Kartoffeln angebaut wurden und zwischendurch auch mal Rüben eingefahren werden mussten, damit Grünfutter für das Vieh vorhanden war. Die Felder wurden umgepflügt und für die Wintersaat vorbereitet.
Manchmal musste auch eine Person mehrmals in der Woche bei

Verwandten oder Bekannten bei der Dreschmaschine helfen, die früher mit Stricken von Hof zu Hof gezogen wurde. Ich kann mich noch gut an die Hau-ruck-Rufe erinnern, mit denen die beiden Maschinenführer Hermann Wießler und Gottfried Ziegler die Leute zum Ziehen ermutigt haben.
Manchmal ist ein Seil gerissen, dann fielen die Leute auf den Boden, das löste ein schallendes Lachen aus. Später übernahm Alfred Holzinger die Dreschmaschine, dann wurde der Transport mit einem Traktor erledigt.
Manchmal war die Drescharbeit eine staubige Angelegenheit, der ganze Körper war grau vom Staub, es dauerte Tage bis man ganz sauber war und wieder richtig durchatmen konnte, ein wohltuendes Bad so wie heute hatte man damals noch nicht.
Wenn die Drescharbeit am Abend zu Ende war, gab es noch ein reichhaltiges Essen, manchmal ein kleines Tanzvergnügen, wenn ein Ziehharmonika-Spieler vorhanden war. Es war eine staubige, aber auch eine schöne Zeit.
Die Obsternte war der letzte Abschnitt des Erntejahres. Durch die Flurbereinigung wurden viele Bäume entfernt. Wir hatten in der Flurabteilung »Am Bettelherd« 12 Zwetschgenbäume, der größte Teil der Früchte wurde eingemaischt und in der Brennerei von Alfons Pfeuffer zu Schnaps gebrannt. Ein Teil wurde zu Dörrobst verarbeitet, ein frischer Zwetschgenkuchen und Zwetschgenmus gehörten zu den Freuden des Herbstes. Mit dem Schnaps wurde während des Krieges manches Hausgeschäft ausgehandelt, so diente alles einem guten Zweck.
Das Tafelobst wurde gepflückt und für den Verzehr im Winter gelagert. Die schönen rotbackigen Äpfel waren eine wohltuende Bereicherung für einen gesunden Obstgenuss. Das Fall- und Mostobst wurde zu Apfelmost verarbeitet, das war ein willkommener Haus-

trunk für die ganze Familie, wenn die Mittel für ein Fässchen Pinzelwein nicht reichten. Dieser Wein wurde von der Firma Pinzel aus dem Rheinland zwei Mal im Jahr zum Verkauf über die Straße angeboten, den konnten sich nur ältere Leute leisten, die etwas Rente bekamen. So war ein Krug voll Apfelmost und eine gute Brotzeit mit selbstgebackenem Brot, Wurst und Schinken aus der Hausschlachtung für die Bauersleute nach einem arbeitsreichen Erntejahr der Himmel auf Erden.

Alter Obstbaumbestand

Davon schöpfte man Kraft und Erholung zur Bestellung eines neuen Erntejahres, dafür erbaten wir günstige Witterung und Gottes Segen.

Wollen wir die schöne Zeit, wie es früher war, in guter Erinnerung behalten.

Kirschenernte im Leinachtal

von Waldemar Wolf aus Leinach

Kirschen - Kirschen - Kirschen, ganz Leinach befindet sich im Kirschfieber. Bei den derzeit herrschenden hochsommerlichen Temperaturen suchen viele Menschen Kühlung an den nahegelegenen Badestränden oder in den schattigen Biergärten. Nicht so die Leinacher Kirschenanbauer. Diese sitzen Tag für Tag von Früh bis Abend auf ihren Kirschbäumen und ernten den Lohn für ein Jahr harter Arbeit, Hoffen und Bangen. Die Kirschenernte 2003 in Leinach läuft seit Tagen auf Hochtouren.

Der Kirschenanbau wird seit urdenklicher Zeit in Leinach betrieben. Er begründete einst den Ruf Leinachs weit über seinen Grenzen hinaus. Er wurde mittlerweile zu Tradition und Brauchtum. Es gibt wohl kaum einen eingefleischten Leinacher, der keine Kirschenbäume besitzt. Ein älterer Kirschenbauer erzählte mir einmal vom Leinacher Kirschenanbau

Kirschenfieber in Leinach

aus früherer Zeit. Es gab damals, so erzählte er mir, hauptsächlich sehr hohe alte Kirschbäume, die üblicherweise auf den Hanggrundstücken standen. Zum Kirschenpflücken brauchte man deshalb sehr hohe Leitern. Gelegentlich passierte es, dass ein Pflücker von der Leiter fiel und dabei schreckliche Verletzungen davontrug.
Er erzählte mir auch, dass die Früchte dieser Bäume relativ klein waren und der Erlös für diese Kirschen gering war. Die Vermarktung sei damals auch noch nicht richtig organisiert gewesen und so habe es Absatzschwierigkeiten gegeben. Mancher Kirschenbauer musste nach einem arbeitsreichen Tag seine Ernte auf eine Schubkarre verladen und zum Verkauf der Früchte ins Nachbardorf fahren. Traktoren oder gar Autos gab es damals noch nicht. Mittlerweile sind diese Grundstücke größtenteils der Natur überlassen und die Früchte an den alten Bäumen werden von den Vögeln geerntet. Heute ist das natürlich anders. Die Neuzüchtungen der Kirschbäume wachsen nicht mehr in den »Himmel«, bringen dafür aber in der Regel herrlich große und süße Früchte. Man kann die Kirschen mit kleineren Leitern pflücken, ja teilweise kann man das sogar vom Erdboden aus tun. Die Kirschen werden in Anlagen angebaut und sind weit pflegeleichter als die alten riesengroßen Bäume. In diesem Jahr mussten die Kirschenbauern schon frühzeitig um ihre Kirschenernte zittern. Zwar hatten die Knospen die extreme Frostperiode im Winter ohne Schaden zu nehmen überstanden, aber dafür setzten im Frühjahr die gefürchteten Spätfröste ein. Aber auch diese Gefahr überstanden die Kirschbäume unbeschadet. Sorgen bereitete das überaus schlechte Wetter während der Kirschblüte und man befürchtete schon einen entsprechend hohen Ernteausfall. Aber »Bienen, Hummeln & Co« hatten ihre »Hausaufgaben« zur vollsten Zufriedenheit der Leinacher Kirschenbauern gemacht. Nunmehr stand einer Vollernte eigentlich nichts mehr im Wege, so-

fern keine Unwetter mehr kämen und diese blieben aus. Für eine überdurchschnittliche Ernte fehlten lediglich einige Regentage, denn die lange Trockenheit ließ die Früchte mancher Bäume recht klein ausfallen, besonders dann, wenn die Bäume auf magerem Boden standen. Aber auch diese Früchte können abgesetzt werden, wenn auch nur als »Industrieware«, die logischerweise geringer bezahlt wird als die »Qualitätskirschen«. Ein erfahrener Kirschenbauer sagte zu mir, dass die Erzeuger mit den gebotenen Preisen gut leben könnten. Immerhin gibt es keinerlei Absatzprobleme.

Hofeinfahrt in Leinach in den 20-er Jahren

Bäume, die auf fruchtbaren und feuchten Böden wachsen, brachten trotz der Trockenheit sehr schöne große und süße Früchte und somit einen guten Ertrag für den Erzeuger. Teilweise hängen die Kirschen so dicht an den Zweigen, dass diese bis auf den Boden reichen. Diese Fülle der Natur ist eine Augenweide für den Betrachter. Von früh bis spät sitzen die Pflücker auf den Bäumen und ernten die

»süßen Früchtchen«. Dabei hilft die ganze Familie zusammen. Weitere Pflücker rekrutieren sich aus dem Freundes- und Bekanntenkreis der Anbauer. Ausländische Arbeitskräfte werden in Leinach so gut wie nicht angestellt und das ist gut so. Zeigt dieses Verhalten doch, dass die Leinacher Kirschenbauern Tradition und Brauchtum zu schätzen wissen und der finanzielle Aspekt erst an zweiter Stelle steht. Der Kirschenanbau in Leinach erfolgt hauptsächlich im Nebenerwerb, denn von den Kirschen alleine kann man nicht leben. Ein alter Kirschenbauer sagte einmal zu mir: „Es ist noch keiner von den Kirschen reich geworden", und er hatte recht.
In wenigen Wochen, nachdem die Kirschen geerntet sind und die Bäume ihren Schnitt erhalten haben, wird es still auf den Kirschenfeldern. Die Kirschenbauern freuen sich über die gute diesjährige Ernte und hoffen, dass auch das kommende Jahr ihre harte Arbeit durch einen guten Behang der Kirschbäume belohnt.

Fränkbrünnleins-Wasser für den Opa

von Gerlinde Brönner aus Marktheidenfeld

Unser Großvater, der Markerts Fritz, war sehr auf seine Gesundheit bedacht und hat auch viel von den Pfarrer-Kneipp-Kuren gehalten. Er hat kalte und warme Kopfwaschungen und Fußbäder ausgeführt, sowie beim Rothenfelser Apotheker alle möglichen Mittel eingehandelt.

Blick auf Zimmern in den 60er Jahren

Er trank (neben Apfelmost) auch blankes Brunnenwasser, aber ganz besonders heilvoll sollte ja frisches Quellwasser sein. So schickte er mich an einem heißen Sommertag mit drei leeren Flaschen und dem Auftrag, Quellwasser vom Fränkbrünnlein zu holen, auf den Weg.

Die Quelle lag zwischen Zimmern und Roden rechts der Straße, verdeckt von Büschen am Hang. Ein Eisenrohr ragte aus der Erde und spendete frisches klares Wasser. Mancher Fußgänger oder Fahrradfahrer labte sich daran und ging gestärkt weiter.
Ich, 9-jährig, wollte aber nicht alleine gehen und nahm meine 5-jährige Schwester Luise mit.
Damals, vor 53 Jahren, fuhren nur selten Autos auf dieser Strecke, höchstens ein Fuhrwerk oder Motorrad, also sehr gefährlich war die Straße nicht, aber heiß und für uns unendlich lang, denn wir gingen barfuß.
Als wir an der großen Kurve waren und unten im Rödertal die vier Mühlen sahen, fragte Luise: „Ist da jetzt das Brünnle?" „Nein", sagte ich, „wir müssen noch weiter." Es waren immer noch einige 100 Meter zu laufen.
Endlich hatten wir unser Ziel erreicht. Zuerst fingen wir Wasser mit den Händen auf und kühlten Gesicht und Arme. Die brennenden Füße erfrischten wir auch, dann wurden die Flaschen unter das Rohr gehalten und gefüllt.
Wir setzten uns noch eine Weile ins Gras, dann traten wir den Heimweg an. Die Hitze war nicht mehr so stark, auch unsere Füße waren leichter, dafür waren nun die vollen Flaschen schwer. In einem Einkaufsnetz schleppte ich sie, abwechselnd von der einen auf die andere Schulter hängend, heim.
Der Großvater freute sich, lobte uns und gab uns 20 Pfennige (zusammen!)
Nach drei Tagen war das gute Wasser getrunken und ich erhielt den nächsten Auftrag. Alles Jammern und Sträuben half nichts, es musste wieder Quellwasser geholt werden.
Diesmal ging ich jedoch mit zwei Flaschen und mit Schuhen an den Füßen; meine kleine Schwester lief auch wieder mit.

Auf dem Heimweg, kurz vor dem Ortseingang Zimmern, kam mir die rettende Idee fürs nächste Wasserholen.
Dort war nämlich direkt neben der Straße (1.50 m - 2 m tieferliegend) auch eine Quelle. Das Wasser sammelte sich in einem gemauerten Becken, zu dem eine schmale Sandstein-Treppe führte. Dort konnten die Bewohner um die Schneidmühle (= ehemalige Sägewerk Schmitt) ihr Trinkwasser mit Eimern schöpfen, denn eine Wasserleitung gab es noch nicht.
Hier füllten wir das nächste Mal die Flaschen und brachten dem Opa das hochgeschätzte Quellwasser.
Einige Tage später begleitete Luise den Opa auf seinem Morgenspaziergang zum Sägewerk. Dort war immer etwas los. Pferdefuhrwerke brachten Baumstämme aus dem Wald, andere holten Bretter und Schnittholz, da traf man Bekannte und erfuhr Neuigkeiten.
Als beide an der Wasserstelle vorbei gingen, zog Luise den Opa an das Treppchen und sagte: „Guck Opa, da drunten holen wir immer das »Fränklibrünnleins-Wasser«“. Oh je, was gab es für ein Donnerwetter als die beiden heimkamen!
Die kräftigsten Schimpfworte gingen auf mich nieder.
„Du Arschkröt du lumpige, mich sou ohzuführn (anzuführen = beschwindeln), doas Wasser, wu bestimmt a die kleene Buawa neipiese, doas brengst du mir zum trinke. Keen Pfennig kreiegst du mehr von mir.“
Ich vergoss Tränen und versprach, von dort nie mehr Wasser zu holen.
Meiner Schwester aber sagte ich, dass sie ein dummes Patschmaul ist und ich sie nirgends mehr mitnehme.
So wurde der eigentlich harmlose Schwindel für uns beide eine Lehre und eine unvergessliche Geschichte.

Die Pferde meines Vaters

von Martha Schreiber aus Jossgrund

Es ist November, Allerheiligen, Volkstrauertag, Buß- und Bettag, Totensonntag. Es liegt eine Zeit zurück, vor dem 1. Weltkrieg, dann das Kriegsende November 1918. Auch heute hört man jeden Tag von neuen Wirren, Kriegen und Nöten.

Die Pferde löschen am Brunnen ihren Durst

Immer wenn diese Tage des Totengedenkens kommen, erinnere ich mich der folgenden Begebenheit, die wir als Kinder mitbekamen, wenn Kriegserlebnisse erzählt wurden. Diese entfachten bei mir Respekt, Ehrfurcht und auch Traurigkeit dem Vater gegenüber.
Er war in Landau in der Pfalz »zum Dienen«, wie er sagte, eingezogen beim 12. Artillerieregiment. Dann kam der 1. Weltkrieg und somit auch sein Einzug über das Elsass nach Frankreich. Er bekam

ein Pferdegespann. Er war Schmied in der 3. Generation und konnte mit Pferden umgehen, tat dies auch gerne, ja mit ganzer Hingabe.
4 Jahre Frankreichfeldzug vom 1. Tage an, bis zum Ende immer die gleichen Pferde, 4 volle Jahre, bei Hitze, Kälte, Nässe, Kanonen ziehen und auch Proviantwagen fahren, Einschläge von allen Seiten, Steckenbleiben, ja im Stellungskrieg sogar mähen mit Rindern auf französischen Feldern. Eine Runde von morgens 6 Uhr bis 6 Uhr abends im Wechsel der Gespanne. Welche Weite, Weizen auf guten Böden, soweit das Auge reichte. Für Vater, der den hügeligen Spessart und die Rhönäcker kannte, ein Wunschbild. Da Bauer zu sein, was wäre das schön, dachte er dabei an die bergigen Orte der Heimat, die treu und fleißig bebaut werden mussten.
Beim Erzählen sagte er immer, 2 Sack Weizen und einige Kommissbrote hatte er immer im Wagen, seine Pferde ließen ihn nicht im Stich.
Es kam schließlich das Kriegsende, ein Krieg mit viel Blutvergießen, ein sinnloser, verheerender Krieg, was ist Sieg, bei soviel Toten? Kriegsende, ein diesiger, regnerischer Novembertag, Heimkehr in die Heimat, aber wie war es bitter, erleben zu müssen, dass sich viele Leute abwandten auf den Bahnhöfen, wo gehalten wurde.
„Haben wir dafür 4 Jahre gekämpft, entbehrt und geblutet, den Kopf hingehalten“, fragte sich mancher. Wie anders war das Ausziehen mit Musik und Blumen und den Worten: Siegreich wollen wir Frankreich schlagen; es war wie ein Hohn.
Bei allem was war, ist dabei verwunderlich, dass die Pferde mit zurück transportiert wurden mit der Bahn und in Würzburg zum Ausladen kamen. Vater erkundigte sich, was wohl mit ihnen werde. Man sagte, die würden jetzt verkauft werden, da war für ihn klar, diese treuen Tiere selbst zu kaufen.

Seinem Onkel, ein dortiger Bahnbediensteter, den er traf, teilte er sein Vorhaben mit. Der aber konnte sich nicht vorstellen, dass das gut gehen würde und riet ihm ab. „Das geht auf keinen Fall, dein Vater krank, Mutter und Schwester haben die Landwirtschaft wohl erhalten, aber Heu und Stroh für diesen Fall sind bestimmt nicht da, der Winter steht vor der Türe“. Vater meinte, er würde es schon schaffen, damals waren in den Wäldern zum Holzabfahren noch Gespanne im Gebrauch. Er wägte ab - hätte er nicht gefragt, wäre es wohl anders gelaufen. Für ihn war jenes Abschiednehmen von den treuen Rössern schlimmer als im Granatfeuer stehen, sagte er, dort sah man dem Tod stündlich in die Augen - aber hier war ja Frieden.

Eine Brauerei nahm das Gespann, sie kämen in gute Hände sagte man ihm. Uns Kindern gab er mit auf den Weg: „Hört bei einer Entscheidung nicht auf andere Leute, es soll immer eure eigene bleiben.“

So begann sein neues Leben in der Heimat ohne Pferde, er blieb bei seinen Kühen, die er ziehen lehrte, immer gut behandelte und stolz sein konnte, wenn sie bei guter Wartung und Arbeit uns stets versorgten mit Milch, Käse und Butter und wir Freude an ihnen hatten. Er war noch ledig, wollte aber eine Familie und Kinder und so fand er in unserer Mutter die passende Frau, die ihm treu zu Seite stand in all’ den Jahren. Beide gingen von uns, im Herbst ihres Lebens.

Die Hochzeit war auch im November. Als ich einmal frug, warum es gerade November war, meinte Vater, im Mai wäre es wohl schöner, aber wenn die Arbeiten auf dem Feld getan sind, lässt es sich auch gut in diesem Monat feiern. Das ganze Dörfchen feierte mit damals etwa 120 Seelen.

An den langen Winterabenden saß man mit Verwandten oder Bekannten in der warmen Stube, es gab kein Radio, kein Fernsehen,

aber wenn die verschiedensten Geschichten erzählt wurden, freuten wir uns schon wenn es dunkelte. Diese Zeit ist unwiederbringlich, aber eine Kostbarkeit besonderer Art.
Sein Wunsch noch einmal im Frieden dort zu sein, wo er im Kriege leben musste, ging leider nicht in Erfüllung. Heute wäre es möglich und bestimmt würde er sich freuen an einem gemeinsamen Europa.
Ich erlaube mir, diese Zeilen in Erinnerung an zwei Menschen zu schreiben, die für uns Kinder (wir sind vier Geschwister) das Wertvollste waren, was wir hatten! Ihnen will ich damit danken für alles, was sie für uns sein konnten. Ihre Ehrlichkeit, Bescheidenheit, Fleiß und Gottesfurcht machen sie uns unvergessen.
In unserer schnelllebigen Zeit fast nicht vorstellbar, aber möglich. Nicht Besitz und Reichtum materieller Art bringen Ruhe und Freude von Dauer und Frieden, sondern Werte, die bleiben und für jeden erreichbar sind, der sich ernstlich bemüht sie zu finden!

Erinnerungen aus der Vergangenheit

von Lydia Wolf aus Esselbach

Es war im Kriegswinter 1941. Unvergesslich eiskalt bei Minusgraden. Mein Bruder war fünf und ich neun Jahre alt. Vater war im Krieg eingezogen. Mutter, die krank war, mein Bruder und ich waren die kleine Familie im kleinen Ort.

Bizarre Winterlandschaft

Eines Tages wurden hier die Soldaten eingelagert. Ihre Pferde kamen auf dem Schlossplatz im Pferdestall unter. In diesem strengen Winter waren die Wasserleitungen oft zugefroren. Dann mussten wir das Wasser eine Straße weiter, im Garten eines Bauern holen. Dort im Garten ging man eine Treppe zur Quelle nach unten. Diese war nie zugefroren, weil sie tiefer geschützt lag. Von hier konnten die Leute ihr benötigtes Wasser schöpfen, solange die Wasserleitungen zu Hause zugefroren waren. Es war in der Not eine große Hilfe, wenn auch ziemlich mühselig. Hierzu wurde ein Einkochkessel (in dem früher Obst und Gemüse in Gläsern eingekocht wurde) auf den Schlitten gestellt. Wir Kinder zogen ihn über die eisglatte Straße bis zur Quelle hin. Mit einem kleinen Eimer füllten wir das Quellwasser in den Kessel, bis dieser dreiviertel voll war. Dann zogen wir vorsichtig damit nach Hause. Ein Kind zog den Schlitten und das andere musste den Kessel festhalten, damit er nicht vom Schlitten rutschte. Dann ging es wieder über die schneebedeckte, glatte Straße - oft sehr beschwerlich - heimwärts. Einmal sind wir auf der Straße ausgerutscht und der ganze Kessel mit dem mühsam geschöpften Wasser kippte vom Schlitten. Auch wir Kinder bekamen dabei von der hundekalten Dusche noch etwas ab. Dann sind wir mit dem leeren Kessel ganz schnell nach Hause geschlittert. Zitternd vor Kälte und Nässe kamen wir weinend zu Hause an. Mutter tröstete uns gleich und sagte: „Kommt schnell in die warme Küche und zieht sofort trockenes Zeug an!“ Für diesen Tag blieben wir drinnen und Mutter holte ein paar Äpfel auf die Herdplatte. Diese Bratäpfel haben wir dann später mit Mutter zusammen am warmen Herd gegessen. Das Holz knisterte im Ofen und es war noch ein heimeliger, gemütlicher Abend. Der Schreck mit dem Wasser am Nachmittag war auch bald wieder vergessen. Es war gut, dass wir noch einen kleinen Eimer voll Wasser in Reserve stehen hatten. Dieser musste bis zum nächsten Wasser holen eingeteilt werden. Mutter gab etwas in die Waschschüssel für den nächsten Morgen und der Rest musste zum Trinken und Kochen bleiben. Einteilen war man ja im Krieg gewöhnt, in jeder Hinsicht. Es dauerte nicht lange, da bekam mein Bruder Frost in den Zehen. Statt besser wurde es aber mit jedem Tage schlimmer. Einen Arzt gab es nicht in der Nähe. Schließlich fingen die Zehen zu eitern an. Mutter fragte in ihrer Ratlosigkeit bei den Soldaten an, ob da wohl ein Sanitäter sei. Am nächsten Tag kam zum Glück ein Sanitäter bei uns vorbei und sah sich die erfrorenen Zehen meines Bruders an. Er holte eine Salbe hervor, schmierte die Zehen damit ein und verband alles. Von nun an kam der Sanitäter regelmäßig zum Verbinden bis sich alles gebessert hatte. Ich selbst hatte Gott sei Dank nichts vom Frost abbekommen. Es war aber so kalt morgens, wenn wir zur Schule gingen, dass uns die Nasenflügel beim Einatmen durch die Nase zusammenklebten. Es gab auch nicht viel Warmes zum Anziehen und zu kaufen gab es auch nichts. In der Kriegszeit wurden alte Strickreste aufgeribbelt und wieder Neues davon gestrickt, zum Beispiel Handschuhe oder Socken. An den Füßen hatten die meisten Kinder Holzschuhe. Damit ging es auch jeden Morgen zur Kirche. Zum Schulanfang hatte Mutter mir damals eine Schultasche aus festen Reststoffen genäht. So erging es auch allen anderen Kindern. Als ich in das dritte Schuljahr kam, schenkte mir ein 14-jähriges Mädchen nach ihrer Schulentlassung ihren, wenn auch schon alten, Tornister. Das war eine Freude für mich! Genau so ging es auch mit den Schulbüchern. Wir Kleinen bekamen, was die Größeren nicht mehr benötigten.

In diesem kalten Winter damals konnten wir ohne Handschuhe nicht mal unsere eiserne Haustürklinke anfassen. Die Finger wären wegen der Kälte daran festgeklebt. Mutter warnte uns Kinder jeden Tag von neuem, um Himmels Willen nicht an der Klinke zu lecken, da sonst unsere Zungen daran kleben bleiben würden!

Gut, dass das jetzt nur noch Erinnerungen sind. Noch einmal möchte ich diese Zeit nicht erleben. Aber der Pferdestall im kleinen Ort ist noch da. Es stehen zwar nun keine Pferde mehr drin, aber er ist zu einem geräumigen Festsaal hergerichtet. Hier finden bis heute viele verschiedene Veranstaltungen im Ort statt.

Die eifersüchtige Dohle

von Eva-Maria Turba aus Sendelbach

1955 lebten wir mit unseren beiden Kindern in Stegaurach, einem Dorf bei Bamberg.

Matthias war knapp drei Jahre alt und spielte oft vor dem Hause oder im Garten. Elisabeth besuchte die zweite Klasse in der Dorfschule. Auf dem Heimweg vom Unterricht saß immer eine Dohle auf dem Dach eines Hauses und die Kinder schrien laut zu ihr hin „Jakob, Jakob“. So hieß sie. Sie konnte sogar ihren Namen sagen.

Alte Ansichtskarte von Stegaurach

Eines Morgens saß Jakob vor unserem Haus. Er hatte anscheinend auf unsere Tochter gewartet, denn er flog sofort auf sie zu, setzte sich auf ihren Schulranzen und ließ sich bis zur Schule tragen. Dort

hockte er sich auf den Fenstersims und schaute dem Unterricht zu. Während der Pause auf dem Schulhof setzte er sich auf Elisabeths Schulter und nach dem Unterricht nahm er wieder auf dem Ranzen Platz und ließ sich bis vor unser Haus tragen. So ging das Tag für Tag. Der Jakob war regelrecht in Elisabeth verliebt.
Oft hielt er sich in der Nähe unseres Hauses oder auf unserem Balkon auf, ja er hüpfte sogar in unser Wohnzimmer und stahl von Elisabeths Geburtstagstisch die Kekse.
Manchmal spielte Elisabeth mit ihrem Brüderchen. Das hat dem Jakob anscheinend nicht gefallen.
Eines Tages, als sich Matthias allein im Garten aufhielt, hörte ich ihn laut schreien. Ein Blick aus dem Fenster zeigte mir folgendes Bild: Der Kleine saß im Gras, Jakob hockte auf seinem Kopf und hieb mit seinem kräftigen Schnabel auf die Stirn unseres Jungen ein. Wer hätte das gedacht, dass eine Dohle so eifersüchtig sein kann!
Matthias ist unterdessen Vater erwachsener Söhne, aber dieses Erlebnis hat er nie vergessen.

Inhaltsverzeichnis

Seite

Impressum

Herausgeber: Horst Bröstler GmbH
Satz und Druck: Horst Bröstler GmbH
Fotos: aus den Familien-Alben der Autoren
und dem Anzeigenblatt-Archiv
ISBN 3-927439-29-0

Bücher aus dem Verlag Horst Bröstler GmbH

Alte Ansichtskarten - Am Main entlang
138 Seiten, 128 Abbildungen, ISBN 3-927439-09-6 - vergriffen -

Alte Ansichtskarten aus dem ehemaligen Landkreis Marktheidenfeld
132 Seiten, 123 Abbildungen, davon 30 in Farbe, ISBN 3-927439-02-9

Alte Ansichtskarten aus Karlstadt und Umgebung
120 Seiten, 101 Abbildungen, davon 24 in Farbe, ISBN 3-927439-04-5

Alte Ansichtskarten aus Stadt und Altlandkreis Lohr
144 Seiten, 122 Abbildungen, davon 36 in Farbe, ISBN 3-927439-03-7

Alte Ansichtskarten von Stadt und Altlandkreis Gemünden
128 Seiten, 83 Abb., davon 26 in Farbe, ISBN 3-927439-07-X - vergriffen -

Alte Ansichtskarten von Marktheidenfeld
142 Seiten, 110 Abbildungen, davon 40 in Farbe, ISBN 3-927439-01-0

Alte Ansichtskarten von Wertheim
120 Seiten, 110 Abbildungen, davon 26 in Farbe, ISBN 3-927439-05-3

Anzeigenblattleser grüßen aus aller Welt , Band 1
212 Seiten, 102 Abbildungen, Fadenheftung, ISBN 3-927439-26-6

Anzeigenblattleser grüßen aus aller Welt, Band 2
212 Seiten, 160 Abbildungen, Fadenheftung, ISBN 3-927439-27-4

Das Zauberscherlein
Scherenschnitte von Elisabeth Emmler, 130 Seiten, Leinen, Fadenheftung
ISBN 3-927439-12-6

Den Main hinab bis in den finstern Spessartwald
Erzählung von Anneliese Lussert, 199 Seiten, katoninert, ISBN 3-927439-25-8

Die Geschichte der Wallfahrt nach Maria Buchen
Nachdruck aus dem Jahr 1841, 80 Seiten, kartoniert, 16 Abbildungen
ISBN 3-927439-17-70

Der Zaungast
Erzählungen von Rudolf Maisenbacher, 125 Seiten, Velours, Fadenheftung, ISBN 3-927439-14-2

Franken - ein Irrtum der bayerischen Geschichte
von Peter Hofmann, Format 18 x 26 cm, kartoniert, mit Schutzumschlag, 104 Seiten, 44 Abbildungen, ISBN 3-927439-00-2 - vergriffen -

Frühling in der Stadt
Buch zur Gemäldeausstellung unserer Leser im 3-B-Forum, anlässlich 25 Jahre Anzeigenblatt, ISBN 3-927439-24-X

Der verschlafene Sonntag
Texte von Jella Lepman, Zeichnungen von Hermann Gradl, Faksimile-Nachdruck der Erstausgabe von 1927, Leinen, Fadenheftung, ISBN 3-927439-11-8

Hermann Gradl - Vom Malerromantiker zum Landschaftsmaler
192 Seiten, 155 Abbildungen, davon 54 Farbtafeln, Veloureinband, im Schuber, Fadenheftung, ISBN 3-927439-06-1

Hermann Gradl - Radierungen
mit Versen von Anneliese Lussert, 134 Seiten, Leinen, Fadenheftung, Katalog aller Radierungen, ISBN 3-927439-18-5

Rothenburg ob der Tauber... einmal anders gesehen, Hermann Gradl
60 Seiten, 45 Abbildungen, Fadenheftung, ISBN 3-927439-22-3

Hermann Kaulbach Bilderbuch
Faksimile-Nachdruck der Erstausgabe von 1910, Leinen, ISBN 3-927439-13-4

Hund Mensch - Die unglaubliche Ähnlichkeit zwischen Hund und Halter
von Miriam Bröstler, 64 Seiten, 73 Abb., matt kaschiert, ISBN 3-927439-28-2

Lohr und seine Post
Leinen, 109 Seiten, viele Abbildungen, ISBN 3-927640-25-5 - vergriffen-

Manchmal lacht das Christkind mit
von Anneliese Lussert, illustriert von Olga Knoblach-Wolff, 127 Seiten, Leinen, Fadenheftung, ISBN 3-927439-16-9

Marktheidenfeld 1900-2000
je 252 Seiten, matt kaschiert, Fadenheftung, ISBN 3-927439-21-5, zwei Bände

Rudolf Schiestl - Bilderbuch für seine Tochter Notburg
Leinen, Fadenheftung, 38 Abbildungen, davon 16 ganzseitige Farbzeichnungen, ISBN 3-927439-08-0

Rudolf Schiestl - Fröhliche Jugend - Ein Volksbuch deutscher Dichtung
Leinen, Fadenheftung, Nachdruck der Erstausg. von 1920, ISBN 3-927439-19-3

Sagen aus Unterfranken
188 Seiten, Leinen, Fadenheftung, ISBN 3-927439-15-0

Unterwegs per Autostop
65 Seiten, 32 Schwarz-weiß-Bilder, Leinen, Fadenheftung, ISBN 3-927439-20-7

Vom Taler zum Euro
matt kaschiert, Fadenheftung, 114 Seiten, Abbildungen

Von Wilderern und Räubern im Spessart
von Gerhard Breitenstein, Broschur, 49 Seiten

Wie es früher war
192 Seiten mit Abbildungen, Fadenheftung, ISBN 3-927439-23-1